LEARN TO SPEAK

To dear Gill,

We expect all our letters to be in perfect Afrikaans! (Perhaps you could write an Afrikaans play!!)

With much love

Cheryl

By the same Author

PRAAT EN SKRYF AFRIKAANS

The next step in the study
of Afrikaans.

LEARN
TO SPEAK
AFRIKAANS

A METHOD BASED ON
ONE THOUSAND WORDS

P. W. J. GROENEWALD, M.A.

*Formerly Senior Lecturer, Department of Commerce and
Modern Languages, Natal Technical College*

PIETERMARITZBURG
SHUTER AND SHOOTER

Shuter & Shooter (Pty) Ltd
Gray's Inn, 230 Church Street
Pietermaritzburg, South Africa 3201

Copyright © Shuter & Shooter (Pty) Ltd 1976

Sixth edition 1976
Fourth impression 1981

ISBN 0 86985 278 7

Set in 10 on 11 pt Press Roman
Printed by The Natal Witness (Pty) Ltd, Pietermaritzburg
1085L

FOREWORD

For most English-speaking students of Afrikaans the difficulty is not so much to master the grammar as to overcome the shyness which inhibits actual speaking. It is a point to which the author of this book has given expert study and attention for many years. In Natal and in the Transvaal, to a lesser extent, there are scores of English-speaking South Africans who have passed all the higher examinations in Afrikaans and still cannot speak a sentence or sustain easy conversation. To all practical purposes they remain unilingual. There are many reasons for this, but the main one is unquestionably the desiccating effect of regarding a language as a "grammar." The older students especially strive to remember the rules and because they fail they are discouraged. In no other activity is there a tendency to forget so completely that learning a language is also a matter of muscular and mental co-ordination. No one would attempt to teach a boy rugby or a man how to drive a motor car by giving him a book of rules.

Mr. Groenewald's method is a variation of learning by doing, but it is also more subtle than that. The ordinary and often confusing grammatical terms are dropped. By a process which seems simple but involves extraordinary effort in the working-out, he builds adroit, ingenious yet wholly substantial bridges between one language and the other. The obstacles melt away; the transition becomes easy and natural. The student must work, but almost from the first page he is given that invaluable sense of progression. Out of an exceptional and profound knowledge of the difficulties, the errors, the shyness and the problems that beset English-speaking students, Mr. Groenewald has fashioned a new path to learning the use of Afrikaans. If faithfully followed it will, I am confident, lead all who attempt it to a better knowledge of a tongue that is rich in expressiveness, flexible, idiomatic, quick with unspoiled vitality and is above all in South Africa an essential key to genuine understanding.

MORRIS BROUGHTON.

Durban.

CONTENTS

After each lesson appropriate oral and written exercises are given.

Page

Foreword.

LES EEN

Try to remember that the Afrikaans word **die**, pronounced like *dy* in the English word *sandy*, means **the** and you will be able to understand the following sentences written in Afrikaans:

Begin:
1. Die medium is Afrikaans.
2. In die dam is water.
3. Die water is warm.
4. Spring in die water.
5. Die wind was warm.
6. Bring die telegram.
7. Die man is blind.
8. Help die man.
9. Die lamp is by die bed.
10. In die pen is ink.
11. Bring die atlas.
12. Die student is intelligent.

The next step is to give the correct Afrikaans pronunciation of the words in the above sentences and thus a few brief notes are given to help you.

Afrikaans is a phonetic language and therefore two facts must be remembered:

1. **There are no silent letters in Afrikaans.**
2. **Afrikaans words are usually pronounced as spelt and vice versa.**

SOUNDS

A (short) as in **man** is pronounced like *u* in English *fun*
Now pronounce: **dam, lamp, atlas.**

A (long) written **a** in **water** and **aa** in **Afrikaans**, like *a* in English *father*.

E (short) as in **pen**, is like the *e* in English *pen*.
Now pronounce: **bed, help, intelligent, hen.**

E (weak) When the emphasis does not fall on the *e* (as in English *water*) the sound is the same as in English, e.g., **water**, and the second *e* in **telegrám.**

E (long) is almost like *ee* in English *beer* and *ea* in English *near*, and represented by the e in **medium** and the first e in **te-le-grám.**

I (short) almost like the *weak e* in *water*, but slightly shorter.
Now pronounce: **in, is, spring, bring, ink.**

Y as in **by** and **my**, like *ay* in English **bay** and **may.**

D at the end of a word is pronounced like English **t**. Thus **hand** is pronounced like English **hunt**.
Now pronounce: **bed, blind.**

G pronounced with a guttural sound like the Scottish **ch** in **loch**.
Now pronounce: **begin.**

1

W   pronounced like English v in **vine.**
       Now pronounce: **wind, was, water.**

R   is always pronounced in Afrikaans and usually has the "rolled" or
       "trilled" sound of the Scottish **r.** Thus **warm** is pronounced **warrem.**

EXERCISE 1

Read the above sentences for the correct pronunciation, and answer the
following questions:

(*Remember:* **wat?** = what?; **waar?** = where?; **wie?** = who?)

1. Waar is die lamp?
2. Wat is warm?
3. Waar is die ink?
4. Wie is intelligent?
5. Waar is die water?
6. Wie is blind?

LES TWEE

THE ACTION-WORD IN AFRIKAANS

In order to avoid the use of grammatical terms we shall refer to the
names of things as *name-words,* and to the words expressing action as
action-words.

For example: **Die man drink.**
                (name)   (action)

In English one would say:	In Afrikaans one would say:
I *drink* water.	**Ek drink** water.
You *drink* beer.	**Jy drink** bier.
He *drinks* coffee.	**Hy drink** koffie.
She *drinks* tea.	**Sy drink** tee.
We *drink* water.	**Ons drink** water.
You *drink* beer.	**Julle drink** bier.
They *drink* coffee.	**Hulle drink** koffie.

Note.—**In Afrikaans the form of the Action-word is not affected by
number or person.**

Following are given the meanings of only **six** short Afrikaans words, with
the aid of which you will be able to understand the following **twenty-five**
Afrikaans sentences. Here they are:

'n   =   a, an, e.g., **'n man** = a man; **'n appel** = an apple.

op   =   on (on top of), e.g., **op die sand** = *on* the sand.

2

het = has, have, e.g.,   *Ek het 'n pen* = I *have* a pen.

                            Hy het 'n pen = He *has* a pen.

dit = **it**, this, e.g.,   **Dit** is my pen = *This* is my pen.

                            Is dit? = Is *it*?

van (pronounced like English *fun*) = of, e.g., Die end van die week.

Note.

(i) Afrikaans **v** is pronounced like English **f**.

(ii) The Afrikaans **v** and **f** have the same sound—that of the English **f**. You will find the **v** generally at the beginning of a word and the **f** invariably at the end of a syllable.

en = and, e.g., Die professor **en** die student.

Read the following sentences:

1. The senátor sit **op** die sand.
2. Hy is die presidént **van** die party.
3. Die opponént is 'n rebél.
4. Pardón? **Dit** is propagánda!
5. Die presidént open die sitting.
6. Die miníster **het** 'n surplus.
7. **Dit** was die end **van** die week in Apríl.
8. Die senior student drink port in die hotel.
9. Hy is sober.
10. Die dame sit **op** die sofa.
11. Die dame **het** 'n ring.
12. Die man sing 'n solo in die restaurant.
13. Die piano was 'n presént.
14. My motor is modérn.
15. In die motor is petrol.
16. Waar is die permít?
17. In die motor is 'n battery **en** 'n rubber mat.
18. Die bus is by die terminus.
19. Plant 'n palm in die park.
20. Die tent is in die park.
21. Die lantérn is in die hut.
22. Die palm **van** my hand is hard.
23. Die teller is in die bank.
24. Die Voortrekkers was in Transvaal **en** Natal.
25. **Dit** is my land.

SOUNDS AND PRONUNCIATION

Before we deal with the pronunciation of the words in the above sentences, let me explain what is meant by **open** and **closed syllables**.

The word **man** contains one syllable and the word **water** two syllables, namely **wa-ter**. In **man** the **a** is followed or closed by the consonant **n**, whereas in **wa-ter** the **a** in the syllable **wa-** is not closed by a consonant, and **wa-** is therefore termed an **open syllable**.

Thus **closed syllables** are those in which the vowels **a, e, i, o, u**, are followed by a consonant, and **open syllables** are those in which the vowels are not followed by a consonant, i.e., by **b, d, s, t**, etc.

In words of more than one syllable the short vowel is followed by more than one consonant, and the long vowel by a single consonant. Thus the first **o** in *opponent* is short and the second **o** long.

O (short) which is always contained in a closed syllable, is sounded almost like *aw* in English *law*, but shorter. Now pronounce: **op, pardon, pot, port.**

O (long)—written **o** in open syllables and **oo** in closed syllables—is sounded almost the same as **oo** in English **moor**.

    Now pronounce: **mo-tor, pro-pa-gan-da,**

                           op-po-nent, o-pen, so-ber,

                           so-lo, mo-dern, Voor-trek-ker.

U (short) Always written in closed syllables, is sounded like the weakly accented **e** with the lips rounded. Thus Afrikaans **bus** is pronounced like **byss** in English **abyss**, but with the lips protruded.

Now prounounce: **terminus, hut, surplus.**

U (long)—written **u** in open syllables and **uu** in closed syllables—is sounded like **ie** in **die** with rounded lips. Now pronounce: **stu-dent, nuus** (news).

J is sounded like the English **y** in **years**; thus **jy** is pronounced almost like English **yea** (yes).

K The **c** is very seldom used in Afrikaans; **k** is used instead, e.g., **koffie** = coffee.

EXERCISE 2

A. Read aloud the 25 sentences given above and then answer the following questions:
1. Wat is in die motor?
2. Waar is die bus?
3. Waar is die student?
4. Wat drink hy?
5. Wie het 'n surplus?
6. Waar is die senator?
7. Wat het die dame?
8. Waar is sy?
9. Wie is 'n rebel?
10. Wat is hard?

11. Waar is die tent?
12. Wie drink port in die hotel?

B. Use the Afrikaans equivalents for the English words given in brackets:
    1. **(We)** sit op die sand.
    2. **(He)** drink water in die tent.
    3. **(She)** het 'n ring.
    4. **(Where)** is die professor?
    5. **(They)** plant palms in die park.
    6. **(I)** het die permit in my hand.
    7. **(Who)** is die teller in die bank?
    8. **(What)** is in die motor?
    9. **(It)** was 'n present van die dame.
    10. **(You)** is 'n student.
    11. **(Who)** is die man?
    12. **(You)** was die Voortrekkers.

C. Translate:
    1. The student of the professor is intelligent.
    2. I have the telegram of the senator in my hand.
    3. I beg your pardon? Where is it?
    4. Where is the pen and the ink?
    5. Bring the battery of the motor car. It is in the bus at the terminus.

D. In the following words underline the syllables on which the main emphasis falls:

    modern, propaganda, battery, rebel, student, telegram, intelligent, permit, minister, lantern, president, party.

LES DRIE

VOCABULARY

brood = bread.
bagasie = luggage.
betaal = pay.
stasie = station.
skip = ship.
met = with.
Dit is **jou** pen = This is **your** pen.
ambisie = ambition.
adres = address.

WOORDESKAT

Al die studente = *all the* students.
Ek **leer** Afrikaans = learn.
Lees die les = Read the lesson.
Die professor **praat** Afrikaans = speak.
Sy **skryf** met 'n pen = write.

Read aloud:

1. Lees die les.
2. Daar is bier in die bottel.
3. Drink jy bier?
4. Ja, ek drink bier.
5. Die bakker bak brood.
6. My bagasie is op die stasie.
7. Die trein kom later.
8. Betaal die balans.
9. Die student leer die alfabet.
10. Wat is die naam van die boek?
11. Hy skryf die adres met 'n pen.
12. Sy lees wat hy skryf.
13. Die admiraál is op die skip.
14. Die torpedo sink die skip in die storm.
15. Die applikánt is 'n man met ambisie.
16. Wat is die naam en adres van die assisténd?
17. Al die Afrikaners praat Afrikaans.
18. Jou aksént is goed.

SOUNDS AND PRONUNCIATION

OU is sounded like English **o** in **no** or **low**.
Now pronounce: **Nou** (now), **jou**.

I (long) in open syllables has the same sound as **ie** and both are pronounced like the first **i** in English **ambition**.
Now pronounce: **ambisie, bier**.

EI pronounced like English **ay** in **May**, that is, the same as Afrikaans **y** in **my**.
Now pronounce: **trein, Mei** (May).

OE is short like English **oo** in **book**, and English **u** in **put**. Afrikaans **boek** is pronounced almost the same as English **book**.

EXERCISE 3

A. Read the above sentences aloud and then answer the following questions:

(*Remember:* **wanneer** = when; **moet** = must.)

1. Wie bak brood?
2. Waar is die admiraál?
3. Wat leer die student?
4. Wat leer jy?
5. Lees jy Afrikaans?
6. Wat is op die stasie?
7. Wie praat Afrikaans?
8. Wanneer kom die trein?
9. Wat het die skip gesink?
10. Wat moet jy betaal?
11. Wat moet jy lees?
12. Is dit jou boek?

6

B. Translate:
1. What is the name of the applicant?
2. Where is my luggage?
3. Pay the baker. He brings your bread.
4. Write the address of the admiral in your book.
5. Who is the assistant on the train?
6. All the students learn, read, write and speak Afrikaans.
7. When must I begin?

C. Divide the following words into syllables, and in each case underline the syllable on which the main emphasis falls:

Ambisie, professor, bagasie, alfabet, applikant, balans, aksent, restaurant, April, Afrikaners, betaal, wanneer.

LES VIER

YESTERDAY, TODAY and TOMORROW
GISTER, VANDAG en MÔRE

OR

THE PAST, PRESENT and FUTURE TENSES—
DIE VERLEDE, TEENWOORDIGE en TOEKOMENDE TYE

In Afrikaans, as in English, there are three main tenses and they are expressed in the following ways:

1. **When the action is taking place or occurs,**
   i.e., **Present Tense—Teenwoordige Tyd.**
   Die student **leer** vandag.
   The student *learns* today.
           is learning today.
           does learn today.

Note.—For the **three** ways in which the present tense is expressed in English, only **one** form is used in Afrikaans. In other words, the forms "is learning" and "does learn" are always reduced to one word, "learns."

Further examples: Die student **leer** vandag.
                        Sy **lees** 'n boek.
                        Sy **skryf** die les.
                        Sy **praat** Afrikaans.

7

2. **When the action has already taken place,**
    i.e., **Past Tense—Verlede Tyd.**
>> Die student **het** gister **geleer.**
>> The student *has learnt* yesterday.
>> *learned* yesterday.
>> *did learn* yesterday.
>> *was learning* yesterday.

Note.—In Afrikaans the past tense is expressed in one way only, i.e., usually by using
>> **het** and **ge+action-word.**
>> **het** and **geleer.**

> *Further examples*: Die student **het** gister **geleer.**
> Sy **het** 'n boek **gelees.**
> Sy **het** die les **geskryf.**
> Sy **het** Afrikaans **gepraat.**

3. **When the action is still to take place.**
    i.e., **Future Tense—Toekomende Tyd.**
>> Die student **sal** môre **leer.**
>> The student *will learn* tomorrow.
>> Ek **sal** môre **leer.**
>> I *shall learn* tomorrow.

Note.—**Sal** is used for both **shall** and **will**.

The Afrikaans word **wil** means **want to**.
e.g., Ek **wil leer** = I *want to learn*.
> Ek **wil** Afrikaans **leer** = I *want to learn* Afrikaans.

THE WORD-ORDER IN THE ABOVE SENTENCES

You will notice that the action-words **geleer** in 2, and **leer** in 3, are placed at the end of the sentences. The general rule is that **sal** and **het** take the same place in the sentence as their English equivalents, but the action-word is always placed at the end of the sentence. The same rule applies when other words are used to help the action-word.

Examples: Ek **moet** my les **leer.** Sy **wil** môre **kom.**

OEFENING 4

A. Skryf die volgende sinne in die verlede tyd:

1. Die dame sing 'n solo.
2. Die trein kom later.
3. Leer jy jou les?

8

4. Ons drink koffie in die restaurant.
5. Praat hy goed Afrikaans?
6. Wanneer lees sy die boek?
7. Die skip sink in die storm.
8. Wie praat met die minister?
9. Die man bring die warm water.
10. Waar is die president van die land?

B. Skryf die volgende sinne in die toekomende tyd:

1. Hy skryf die adres in die boek.
2. Die student leer die alfabet.
3. Drink jy tee?
4. Die dame betaal die man in die bus.
5. Wanneer skryf jy die boek?
6. Leer jy vandag Afrikaans?
7. Ek praat met die man by die stasie.
8. Die trein kom môre.
9. Wie bring die bottel bier?
10. Waar sit die student vandag?

C. Skryf in Afrikaans:

1. He was reading a book on the train.
2. He wants to speak to the students.
3. He will pay the assistant.
4. The lady is sitting on the sofa and is writing in a book.
5. Did you learn your lesson?
6. They want to speak Afrikaans.
7. Where is the senator sitting?
8. Is he drinking tea?
9. I shall speak to him.
10. Do you speak and write Afrikaans?
11. You must learn the alphabet.
12. The ship is sinking in the storm.

LES VYF

VOCABULARY = WOORDESKAT

baie = very; many; much; plenty.
    e.g. **Baie goed. Baie studente. Hy het baie tyd.**
dankie = Thank you. **Baie dankie** = Many thanks *and/or* Thank you very much.

goed and **goeie** = good.

    e.g., Die boek is **goed**.

        Dit is 'n **goeie** boek.

mooi = pretty.

    e.g., 'n **mooi** meisie = a *pretty* girl.

    Hy lees **mooi** stories.

sê = say.

    e.g., Wat sê jy? Ek sê dit is goed.

HOW TO INDICATE POSSESSION OR OWNERSHIP

se = English possessive 's.

    e.g., Dit is die pen van die man.

        or

    Dit is **die man se pen**.

    Waar is die boek van die student?

        or

    Waar is **die student se boek**?

HOW TO EXPRESS MOTION TOWARDS A PLACE

NA . . . . TOE, and **TOE** = English **to**.

    Hy gaan **na** die hotel **toe**   OR   Hy gaan **hotel toe**.

    Hy goes *to* the hotel.   He goes *to the hotel*.

Note.

(a) When **die** is used before the word denoting the place or destination, **na** and **toe** are used.

(b) When **die** is omitted, only **toe**, following the word denoting the destination, is used.

HOW TO USE **KEN** = KNOW AND **WEET** = KNOW

    Ek **ken** die man.   Ek **weet** wie die man is.

    Hy **ken** die adres.   Hy **weet** wat die adres is.

Note.—**Ken** is usually used in short (simple) sentences containing only *one* action-word.

    Weet is usually used when the sentence contains **two** action-words.

    Remember the exception: **Ek weet nie** = I don't know.

    HOU VAN = to like; to be fond of.

Ek **hou van** tee   = I *like* tea.

                    I *am fond of* tea.

Ek **hou** baie **van** tee = I am very fond of tea.

Hou jy **van** tee?   = Do you like tea?

                    Are you fond of tea?

Hy sal **van** tee **hou** = He will like tea.
Hy het **van** tee **gehou** = He liked tea.

Note.—**Hou** is the action-word and the preposition **van** always immediately precedes the word denoting the object for which the liking or fondness is expressed. In English the preposition **of** is not used with the word **like**, but in Afrikaans **van** must always be used with **hou**.
Remember the sentence: **Ek hou daarvan**.
I like it. I am fond of it.

LEESOEFENING

BETTIE EN JAN

BETTIE:	*Groet* die dame.	*Greet* the lady.
	Sê: *Goeienaand, hoe gaan dit?*	Say: *Good evening, how are you?*
JAN:	Ja, ek sal haar groet.	Yes, I shall greet her.
BETTIE:	Ken jy haar?	Do you know her?
JAN:	Nee, wie is sy?	No, who is she?
BETTIE:	Sy is die dokter se dogter.	She is the doctor's daughter.
JAN:	Is sy mooi?	Is she pretty?
BETTIE:	Ja, sy is 'n baie mooi *meisie*.	Yes, she is a very pretty *girl*.
JAN:	Wat is haar *naam*?	What is her *name*?
BETTIE:	*Dink aan* die professor se naam. Sy is *mejuffrou* Pienaar.	*Think of* the professor's name. She is *Miss* Pienaar.
JAN:	Sal jy *'n koppie tee* drink?	Will you drink *a cup of tea*?
BETTIE:	Ja, baie dankie, ek hou van tee.	Yes, thank you very much, I like tea.
JAN:	Gaan jy na die stasie toe?	Are you going to the station?
BETTIE:	Ja, ek moet na die stasie toe gaan. My *jas* is by die stasie en dit is baie *koud vanaand*.	Yes, I must (have to) go to the station. My *coat* is at the station and it is very *cold this evening*.
JAN:	Gaan jy nou?	Are you going now?
BETTIE:	Ja, ek moet *dadelik* gaan.	Yes, I must go *at once (immediately)*.
JAN:	Ek wil na die stad toe gaan.	I want to go to town.
	Ek moet stad toe gaan.	I must go to town.
BETTIE:	Waar is jou vriend se boek?	Where is your friend's book?

11

JAN:	*Dit spyt my, maar* ek weet nie.	I *am sorry, but* I don't know.
BETTIE:	Wat is jou vriend se naam?	What is your friend's name?
JAN:	Hy is *meneer* Van der Byl.	He is *Mr.* Van der Byl.
BETTIE:	Ek moet *huis toe* gaan, *want* ek wil my les leer.	I must go *home, because* I want to learn my lesson.
JAN:	Ja, *dit is 'n goeie plan.* Ek sal later kom.	Yes, *it is a good idea.* I shall come later.
BETTIE:	*Tot siens* Jan!	*Good-bye* John!
JAN:	Tot siens Bettie; ek dink ek sal van mejuffrou Pienaar hou.	Good-bye Betty. I think I shall like Miss Pienaar.

OEFENING 5

A. Beantwoord die volgende vrae:

1. Wie is mejuffrou Pienaar?
2. Wat het Jan en Bettie gedrink?
3. Waar was Bettie se jas?
4. Wanneer moet jy huis toe gaan?
5. Hou jy van tee of koffie?
6. Wie is meneer Van der Byl?
7. Waarom wil Bettie huis toe gaan?
8. Wat dink jy van haar?
9. Aan wie moet Jan dink?
10. Dink jy jy ken al die woorde?

B. Skryf die volgende sinne in die toekomende en verlede tyd:

1. Die admiraal sit op die skip.
2. Drink die student water?
3. Wie bak die brood?
4. Ons hou baie van die mooi meisie.
5. Wat sing die man in die restaurant?

C. Skryf in Afrikaans:

1. This is a good book; I want to read it.
2. He went to the station; his coat is there.
3. Do you know him? Yes, he is John's friend. Do you know the man's name? No, I am sorry, but Bettie will know.
4. Good evening John, how are you? It is very cold this evening.
5. Will you have a cup of tea? Yes, thank you, that is a good idea.
6. I must go at once. Good-bye, and thank you very much for the tea.

12

SOUNDS AND PRONUNCIATION

AI   like i in English **light**, e.g., **Baie mense** = Many people.

Ê   like **ea** in **bear**, or a in English **mare**. (The circumflex or inverted v indicates that the sound is lengthened.)
Now pronounce: **sê, wêreld** (world).

OEI   almost like **oui** in **Louis**, but shorter.
Now pronounce: **Goeiemôre** = Good morning.
                                    koei (cow).

Ô   long like **o** in English **more**, or **aw** in English **saw**. Read aloud: My vriend kom **môre** = My friend comes (is coming) *tomorrow*.

OOI   almost like **oi** in English **Moira**, but slightly longer.
Now pronounce: **mooi, rooi** (red), **konvooi** (convoy).

UI   like **y** in Afrikaans **my** or **ei** in Afrikaans **trein**, but with rounded lips.
Now pronounce: **huis** (house), **Suid-Afrika**.

HOW TO USE TE = TOO and OM TE = TO.

Dit is **te** goed = It is *too* good.

Jy is **te laat** = You are *too late*.

Dit kos **te veel** = It costs *too much*.

Die tee is **te** warm **om te** drink = The tea is *too* warm *to* drink.

Dit is **te** koud **om te** swem = It is *too* cold *to* swim.

Dit is **te** koud **om** vandag **te** swem = It is *too* cold *to* swim today.

Note.

(a)   The two words **om te** are used for the English **to**.

(b)   **Om** takes the same place in the sentence as the English **to**, but **te** immediately followed by the action-word, is always placed at the end of the sentence.

WOORDESKAT

1. Die stasie is *ver van* die middel van die stad.
   The station is *far from* the centre (middle) of the town (city).

2. Die trein *vertrek* later.
   The train *leaves* (departs) later.

3. Die trein *loop* van Pretoria na Johannesburg toe.
   The train *runs* from Pretoria to Johannesburg.

4. Die man *loop* in die straat.
   The man *walks* in the street.

5. Die man *hardloop* van die stasie na die skip toe.
   The man *runs* from the station to the ship.

13

Note.—Loop means *walk*, and *hardloop* means *run*, but in the following idiomatic sentences the word *loop* is used for *run*:

Die trein loop = The train runs.
Die motor loop *goed* = The motor car runs *well*.
Die water loop in die *rivier* = The water runs in the *river*.

6. Die trein is *gewoonlik* laat. The train is *usually* late.
7. Die professor is *haastig*. The professor is *in a hurry*.
8. *Maak gou*, hier kom die trein! *Make haste (hurry)*, here comes the train!
9. Jy moet *gou maak*. You must *hurry (make haste)*.
10. Die professor het *betyds* gekom. The professor came *in time*.
11. Hy *woon* in die stad. He *lives* in the town (in town).
12. Waar *woon* jy? Where *do* you *live*?
13. *Hoe gaan dit*? *How are you*?
14. *Baie goed, dankie.* *Very well, thank you.*
15. Ek het baie *min* petrol. I have very *little* petrol.
16. Die boek is *interessant*. The book is *interesting*.
17. Ek *sien* die *tyd* op my *horlosie*. I *see* the *time* on my *watch*.
18. *Hoe laat is dit*? *What is the time*? (How late is it?)
19. Sê *groete aan* my vriend. *Give my regards to* my friend. (*Remember me to* my friend).
20. Die student sal my vriend *besoek*. The student will *visit* my friend.
21. *Waarom* praat jy so baie? *Why* do you talk so much?
22. *Vra* die dokter. *Ask* the doctor.

LEESOEFENING

JAN EN WILLEM

JAN: Waar is die stasie?
WILLEM: Dit is in die middel van die stad.
JAN: Is dit ver?
WILLEM: Ja, dit is te ver om te loop.
JAN: Hoe laat is dit nou?
WILLEM: Dit spyt my, maar ek weet nie.
JAN: Waar is jou horlosie?
WILLEM: Annie het my horlosie.
JAN: Waarom het Annie jou horlosie?
WILLEM: Ek het dit vir haar gegee en sy sal dit môre bring.
JAN: Waar woon sy en wat is haar naam?

14

WILLEM: Waarom vra jy? Sy is die dokter se dogter en sy woon in die stad.
JAN: O so, jy ken haar goed? Sy is 'n mooi dame. Hou jy van haar?
WILLEM: Ja, ek hou baie van haar. Sy kan goed sing, goed dans, en—
JAN: Ja, ek weet, maar sy praat te veel.
WILLEM: Al die dames hou daarvan om te praat, maar wat sy sê is interessant.
JAN: Ek weet nie. Ek ken die dames beter.
WILLEM: Wanneer vertrek jou bus?
JAN: Maar waar is jou motor?
WILLEM: Nee, ek het te min petrol.
JAN: Hoe ver is die terminus en hoe lank loop die bus na die stasie toe?
WILLEM: Die bus loop gewoonlik tien minute.
JAN: Ek is haastig en ek moet nou gou maak en hardloop.
WILLEM: Nee, dit is te warm om te hardloop. Maak gou, hier is jou jas!
JAN: Sal ek betyds daar kom?
WILLEM: Ja, ek dink jy sal. Goeienag, en baie dankie vir die besoek.
JAN: Tot siens, en sê groete aan Annie!

OEFENING 6

A. Skryf in Afrikaans:
1. When does the train leave? You must run, because the bus is at the terminus.
2. He said good night and ran, because he was in a hurry and it was too late to walk.
3. It is usually very interesting to read a good book and I am fond of reading (like to read) a good book.
4. Why do you want to visit her? There is very little petrol in the car.
5. You must hurry! What is the time? Do you think you will get (arrive) there in time? Remember me to Bettie.

B. Skryf in die toekomende en verlede tyd:
1. Die student gaan vandag na die professor toe.
2. Die man vra die student se adres.
3. Ken hy vandag die les?
4. Waarom hardloop jy na die stasie toe?
5. Sy kom betyds by die stasie.

LES SEWE

THE DOUBLE NEGATIVE IN SIMPLE SENTENCES

In Afrikaans a negative idea is usually expressed by using the word **nie** as a second negative at the end of the sentence.

15

For example—

Die man is **nie** normaal **nie** = The man is *not* normal.

Jy kan **niks** sien **nie** = You can see *nothing*.

Ek kan die boek **nêrens** vind **nie** = I can find the book *nowhere* (I cannot find the book anywhere).

Niemand sal dit sien **nie** = *Nobody* will see it.

Ek sal dit **nooit** doen **nie** = I shall *never* do it.

Hy het **geen** petrol **nie** = He has *no* petrol.

Note.—When **nie** is used in short sentences, containing only a subject and *one* action-word, the second **nie** is not used.

e.g., Ek weet **nie**.

Hy praat **nie**.

Sy gaan **nie**.

Compare the above sentences with the following in which a helping or auxiliary action-word is used:

Ek *sal* **nie** weet **nie**.

Ek *het* **nie** geweet **nie**.

Hy *kan* **nie** praat **nie**.

Sy *wil* **nie** gaan **nie**.

Jy *moet* dit **nie** doen **nie**.

Jy *moenie* skryf **nie**.

Note.—**Moenie** (*must not*, or *don't*) is just a contraction of **moet nie**.

WOORDESKAT

1. Daar is geen koffie *of* tee nie.   There is no coffee *or* tea.
2. Sy is 'n *jong* dame.   She is a *young* lady.
3. Die dame is *jonk*.   The lady is *young*.
4. Hy is 'n *ou* man.   He is an *old* man.
5. Die man is *oud*.   The man is *old*.
6. Dit is 'n *lang* woord.   It is a *long* word.
7. Die woord is *lank*.   The word is *long*.

Note.—When the descriptive words *young, old* and *long* precede the words they describe, the forms **jong, ou** and **lang** are used; when they follow the words they describe, the forms are **jonk, oud** and **lank**.

8. Die Afrikaners praat baie *vinnig*.   The Afrikaners speak very *fast* (quickly).
9. Moenie so laat *slaap* nie.   Don't *sleep* so late.
10. Sy praat *al* Afrikaans.   She speaks Afrikaans *already*.
11. Kan jy praat? Nee, *nog nie*.   Can you speak? No, *not yet*.

16

12. Die mense drink tee in die kafee.	The people drink tea in the *café*.
13. Bring 'n koppie tee *asseblief*.	*Please* bring a cup of tea.

Note.—**Asseblief** is never the first word in a sentence.

14. Waar is die *koek*?	Where is the *cake*?
15. Ek hou van 'n *bord sop*.	I like a *plate of soup*.
16. Jy moet eet, want jy is *honger*.	You must eat, because you are *hungry*.
17. Ons eet *spek en eiers* in die môre.	We eat *bacon and eggs* in the morning.
18. Die koek is *lekker*.	The cake is *nice*.
19. Haar *vader* is 'n *ryk* man.	Her *father* is a *rich* man.
20. Wat jy sê, is *waar*.	What you say, is *true*.
21. Die boek *kos twintig sent*.	The book *costs twenty cents*.
22. *Hoeveel* kos die pen?	*How much* does the pen cost?
23. *Hoeveel* mense was daar?	*How many* people were there?
24. Betaal die *bediende*.	Pay the *waiter* (or *waitress*).
25. Het jy *kleingeld*?	Have you any *small change*?
26. Nee, ek het *net* 'n rand.	No, I have *only* a rand.
27. Waar is my een *skoen*?	Where is my one *shoe*?
28. Dit moet hier *wees*.	It must *be* here.
29. Hoeveel kos 'n *paar skoene*?	How much does *a pair of shoes* cost?
30. Ek is baie *bly*.	I am very *glad* (or *pleased*).
31. Ek sal baie bly wees.	I shall be very pleased.
32. Die studente *speel* tennis.	The students *play* tennis.
33. Sy sal nooit betyds hier wees nie.	She will never be here in time.
34. *Dit maak nie saak nie.*	*That does not matter.*
35. Nee, *ek speel maar*, sy sal betyds hier wees.	No, *I am only joking*, she will be here in time.
36. Dit *reent* baie in Natal.	It *rains* much in Natal.
37. Die *straat* is *nat*.	The *street* is *wet*.
38. Die grond is *los*.	The ground is *loose*.
39. Moenie jou les *vergeet* nie.	Don't *forget* your lesson.
40. Jy is baie *stadig*.	You are very *slow*.
41. *Kyk na* die man se hand.	*Look at* the man's hand.
42. *Goed*, ek sal na die man se hand kyk.	*Very well*, I shall look at the man's hand.
43. *Wag* vir my by die stasie, asseblief.	Please *wait* for me at the station.
44. Sê *iets*.	Say *something*.

17

LEESOEFENING

JAN EN PIET IN DIE KAFEE

Jan en Piet loop in die straat. Die stad is stil. Daar is geen motors of busse in die straat nie, want dit is baie laat. Hulle moet loop, want Jan het geen petrol nie. Maar dit maak nie saak nie, want hulle is jonk en kan vinnig loop. Slaap al die mense al? Nee, al die mense slaap nog nie. 'n Lig brand in die restaurant en hulle gaan na die restaurant toe. Maar dit is nie 'n restaurant nie. Dit is 'n kafee.

JAN: Moenie so vinnig loop nie, Piet. Wag vir my, want my skoen is los.

PIET: Maak gou, ons het nie baie tyd nie. Julle mense in die stad is te stadig. Dit is al laat.

JAN: Goed, ek is hier. Wat sal jy drink?

PIET: Ek is honger en ek wil iets eet.

JAN: Spek en eiers?

PIET: Nee dankie, dit is te laat vir spek en eiers.

JAN: Sal jy van koek en koffie hou?

PIET: Ja dankie, dit sal lekker wees.

JAN: Twee koppies koffie en 'n bord koek, asseblief.

PIET: My jas is nat. Dit het baie gereent.

JAN: Dit maak nie saak nie; niemand sal dit sien nie.

PIET: Kyk, die bediende bring 'n ketel koffie.

JAN: Baie dankie, mejuffrou. Hoeveel kos dit?

PIET: Moenie sit en slaap nie, Jan! Daar is die papier. Dit kos net twintig sent. Jy is 'n ryk man en jy kan betaal.

JAN: O, dit spyt my, maar ek het geen kleingeld nie.

PIET: Wag, ek het. Jy kan môre betaal. . . . Mejuffrou, my vriend is 'n ryk man, maar hy het nooit kleingeld nie.

JAN: Piet, jy moenie so sê nie. Dit is nie waar nie.

PIET: Nee, ek speel maar, dit is nie so nie.

JAN: Moenie vergeet nie, ek het gister betaal.

PIET: Goeienag, ou vriend.

JAN: Goeienag, Piet. Slaap lekker!

OEFENING 7

A. Beantwoord die volgende vrae:
1. Waarom wil Piet iets eet?
2. Wat sê Piet van die mense in die stad?
3. Waarom is daar geen busse of motors in die straat nie?
4. Waarom wil Piet nie spek en eiers eet nie?
5. Wat sê Jan van Piet se nat jas?
6. Wat het Piet van kleingeld gesê?
7. Hoeveel het die koek en koffie gekos?

8. Het al die mense al geslaap?
9. Waarom moet Piet vir sy vriend wag?
10. Wie het die koffie gebring?

B. Vul die regte woord in:
1. Die man loop stadig en nie .... nie.
2. Die dame praat baie en nie .... nie.
3. Die woord is kort en nie .... nie.
4. Die student is jonk en nie .... nie.
5. Die tee is warm en nie .... nie.
6. Die dame is nie oud nie, sy is 'n .... vrou.
7. Die les is nie kort nie, dit is 'n .... les.
8. Die professor is nie jonk nie, hy is 'n .... man.

C. Skryf in Afrikaans:
1. He has no money, but his friend is a rich man.
2. What he says, is not true.
3. He is leaving this evening but will never forget the words of the admiral.
4. He saw nothing and said nothing.
5. Nobody paid for the tea and cake.
6. Nowhere will you see a café.
7. Don't ask me too much.
8. I cannot speak Afrikaans yet, because I don't know all the words.
9. That does not matter, you must never forget you are only a beginner.
10. Say something. No, I don't know anything. That is not true. I know you are only joking.

LES AGT

DIFFERENCES BETWEEN THE AFRIKAANS AND ENGLISH WORD-ORDER

The order of the words in Afrikaans is sometimes different from that in English. These differences always seem to be one of the main difficulties to the students of Afrikaans, but fortunately there are a few basic rules to guide the student, and once these rules are remembered the difficulties will disappear. Try to get used to the flow and rhythm of the language by *listening to the spoken* word and by *reading aloud* as often as possible. The ear must always be the chief help.

TIME, MANNER AND PLACE

When extensions of time, manner and place are used in a sentence, **the extensions always follow in that order.**

Examples—

Ek gaan **môre per motor stad toe** = I am going *to town tomorrow by car.*
Jan het **vanmôre stadig uit die bed** geklim = John *got out of bed slowly this morning.*

THE WORD-ORDER IN SIMPLE SENTENCES

The following sentence can be written in five different ways:
1. Starting with the *subject—*
     Dit **reent** gewoonlik baie in die somer in Natal.
2. Starting with the *word* (or adverb) *expressing time—*
     Gewoonlik **reent** dit baie in die somer in Natal.
3. Starting with the *word – asking a question –*
     Reent dit gewoonlik in die somer baie in Natal?
4. Starting with the *phrase of time—*
     (In die somer) **reent** dit gewoonlik baie in Natal.
5. Starting with the *phrase of place—*
     (In Natal) **reent** dit gewoonlik baie in die somer.

Note 1. When a sentence is introduced by the subject, an adverb, or a phrase, the action-word immediately follows the subject, adverb, or phrase, in other words, the action-word is always the second part of speech (not necessarily the second word) in the sentence.

Note 2. When a helping or auxiliary action-word is used, the auxiliary is the second part of speech, and the principal action-word is placed at the end of the sentence.

Examples—

Dit **het** gewoonlik baie in die somer in Natal **gereent**.
Vanaand **sal** die professor die student in die straat **sien**.
Die professor **wil** die student nie vanaand in die straat **sien** nie.
In die straat **moet** die professor nie vanaand die student **sien** nie.
Vanaand **kan** die professor die student in die straat **sien**.

OEFENING 8

A. Rewrite the following sentences beginning in each case with the word(s) in bold type:

   1. Die student sal **vanaand** haar les leer.
   2. Ons het die man **gister** gesien.
   3. Dit reent baie hard **vandag**.

20

4. Die trein kom **gewoonlik** laat.
5. Die man het **baie dankie** gesê.
6. Die hotel is **in die middel van die stad**.
7. My vriend sal die boek **môre** bring.
8. Dit was baie koud **vanaand**.
9. Mejuffrou Pienaar sê **sy hou van hom**.
10. Die dokter se dogter het **op die skip** gedans.
11. Sy sal vanaand **aan haar vriend** skryf.
12. Ons het **dadelik** na die stasie toe geloop.
13. Daar was baie mense **in die straat**.
14. Willem wil **met al die mense** praat.
15. Ek sien hoe laat dit is **op my horlosie**.

B. Gee die teenoorgestelde van die vetgedrukte woorde:

1. Hy praat **al** Afrikaans.
2. Gewoonlik leer hy **altyd** (always) sy les.
3. Sy het **iets** vir haar vriende gesê.
4. Ons ken **baie** mense in die stad.
5. **Bring** die dogter na die dans toe.
6. Hulle sal **betyds** by die stasie kom.
7. Julle eet **gewoonlik** spek en eiers in die môre.
8. In die winter reent dit **altyd** baie.
9. Daar loop **te veel** treine na Johannesburg toe.
10. Vandag dink **baie** mense in die wêreld so.
11. Die mense praat vir my te **stadig**.
12. Gister het baie **jong** mense geswem.
13. In die **winter** is dit te **koud** om te swem.
14. In die kafee brand daar **nooit** 'n lig **nie**.
15. **Ek het te laat** by die terminus gekom.

C. Skryf die volgende sinne in die teenwoordige en toekomende tyd:

1. Vanaand het ek aan my vriend gedink.
2. In die straat het 'n rooi lig gebrand.
3. Die skip het vir die admiraal gewag.
4. Julle het die dokter nêrens in die hotel gesien nie.
5. In die park het ons baie tennis gespeel.
6. Die senator het vir sy vriend 'n mooi present gegee.
7. Sy het nie geweet wat om te sê nie.
8. Tien minute later het al die mense huis toe gegaan.
9. Ek het dadelik vir haar goeienag gesê.
10. Sy het aan my gedink en aan my geskryf.

21

WOORDESKAT

1. Ek *luister na* die les.	*listen to*
2. Jy moet *ook* na die les luister.	*also*
3. Ek luister *altyd* na wat jy sê.	*always*
4. *Praat met* my.	*speak to*
5. *Gee* dit *vir* hom.	*give to*
6. *Skryf aan* jou vader.	*write to*
7. Die mense eet in die *eetkamer*.	*dining-room*
8. My pa sit in die sitkamer en lees sy *koerant*.	*newspaper*
9. *Elke* môre *bad* ek in die badkamer.	*every, bath*
10. In my *slaapkamer* is 'n lekker bed en ek slaap altyd te laat.	*bedroom*
11. My moeder kook die *kos* in die *kombuis*.	*food, kitchen*
12. In die *spens* is die *groente*, die brood, die botter en die eiers.	*pantry, vegetables*
13. In die stad is dit nie so stil as op die *plaas* nie.	*farm*
14. *Bly stil*, jy praat te veel.	*keep quiet*
15. Die sitkamer is *groot genoeg*, maar die eetkamer is te *klein*.	*big enough, small*
16. *My* student doen dit vir *my*.	Note: **my** = *my or me*
17. Hy leer *sy* les en *sy* lees haar boek.	**sy** = *his* or *she*
18. *Hulle* doen *hulle* werk goed, want ek betaal *hulle*.	**hulle** = *they, their, them*
19. *Ons* hou van *ons* vriende, want hulle dink aan *ons*.	**ons** = *we, our, us*
20. Jy moet *jou* les leer. Ek praat met *jou*, Jan!	**jou** = *your*, and *you* when not the subject of the sentence.
21. Jan en Piet, *julle* moet aan *julle* moeder skryf; sy dink baie aan *julle*.	**julle** = *you, your* (plural)
22. My suster is 'n mooi *kind*. Moeder het twee *kinders*.	*child, children*
23. My *oom* se *seun* is my *neef* en sy dogter is my *niggie*.	*uncle, son, cousin, cousin*
24. Ons *noem* hom Jan.	*call*

22

LEESOEFENING

DIE FAMILIE

Ons het 'n mooi huis. Ons woon in Kerkstraat. Die huis is nie baie groot nie, maar dit is groot genoeg vir ons familie. Daar is 'n sitkamer, 'n eetkamer, drie slaapkamers, 'n kombuis, 'n spens en 'n badkamer in die huis.

My vader en moeder hou baie van die huis, want dit is in 'n stil straat. Daar is net twee kinders in die familie: 'n seun en 'n dogter. My suster leer musiek en kan klavier (piano) speel, maar haar broer hou nie baie van musiek nie. Hy is 'n student en hy hou van sy boeke.

Gewoonlik kom my oom en my tante ons besoek. Hulle het ook net twee kinders: 'n meisie en 'n seun. Sy is my niggie en hy is my neef.

My oupa en ouma woon op 'n plaas. Hulle is al oud, maar elke week kom hulle stad toe. Op die plaas is dit nou te stil vir die twee ou mense. In die winter is dit baie koud op die plaas en gewoonlik gaan hulle dan na die kus toe. Hulle kan nie swem nie, maar hulle hou van die warmer klimaat.

OEFENING 9

A. Beantwoord die volgende vrae:

1. Wat noem jy die pa en ma van jou vader en moeder?
2. Waar woon hulle?
3. Hoeveel kamers is daar in julle huis?
4. Wat leer die seun se suster?
5. Hou die seun van musiek?
6. Wanneer gaan jou oupa en ouma na die kus toe?
7. Waarom gaan hulle na die kus toe?
8. Wat noem jy die dogter en die seun van jou oom en tante?
9. Waarom hou jou pa en ma van hulle huis?
10. Wie kom julle gewoonlik besoek?

B. Skryf die Afrikaanse woorde vir die Engelse woorde:

1. **We** het **our** vriend in die straat gesien.
2. Sal **you** asseblief die boek vir **your** vriend gee?
3. **He** het vir **her** al **his** kleingeld gegee.
4. **She** het **his** tee gebring.
5. Jan, **we** het vir **you** 'n mooi present.
6. **They** het al **their** kinders gegroet.
7. **She** wil nie met **him** praat nie, want **he** het nie **his** les geleer nie.
8. Waarom moet **I** altyd vir **you** iets betaal?
9. Piet en Bettie, **you** moet nie vanaand laat gaan slaap nie, want **you** moet aan **your** ouers skryf.
10. Wag, **I** sal vir **you** die storie vertel.

23

11. **Who** het gister vir **her** in die straat gegroet?
Ek hou nie van **Betty's** vriend nie.
12. **I** hou nie baie van **your** vriend nie, want **he** ken my nie elke dag nie.
13. **She** het **his** naam in die koerant gesien.
14. **Who** het vir **them** al **their** werk gedoen?
15. **Our** ouers het vir **us** al die geld gegee.
16. **I** is baie bly om **you** te sien, Bettie.

C. Vul die regte voorsetsel in:

1. Vanaand wil ons .... die radio luister.
2. Die man het nie .... jou gepraat nie.
3. Sal jy asseblief die koerant .... jou vader gee?
4. Ons het elke aand .... ons moeder geskryf.
5. Ek het baie lank .... jou gewag.
6. Die dokter het .... sy hand gekyk.
7. Ons hou baie .... my ma se lekker kos.
8. Sê groete .... jou broers en susters.
9. Hulle woon .... 'n baie mooi huis.
10. Hoe laat is dit? Wag, ek sal .... my horlosie kyk.
11. Môre gaan die familie .... die kus ....
12. Jou vriend woon te ver .... die middel .... die stad.
13. Sal jy elke dag .... my dink?
14. Ek sal vir jou .... die terminus wag.
15. Vanaand sal ons .... die stoep sit.

D. Skryf die volgende sinne oor maar begin met die vetgedrukte woorde:

1. Ma pa lees sy koerant **in die sitkamer**.
2. Ons hou baie **van ons vriende**.
3. Hy het **dadelik** na die klavier toe gegaan.
4. Ons het 'n warm klimaat **in Natal**.
5. My neef en niggie was **gister** by ons huis.
6. Die man sê **dit maak nie saak nie**.
7. Ek sal dit **nooit** doen nie.
8. Jan het **tot siens** aan sy vriend gesê.
9. Ek sien hoe laat dit is **op my horlosie**.
10. My oupa en ouma woon **op** 'n baie mooi plaas.
11. Dit is **vanaand** baie stil in die huis.
12. Hy sê **ons** moet na die musiek luister.
13. Die motor is nie groot genoeg **vir al die mense** nie.
14. Sy suster kyk na haar mooi paar skoene **in die slaapkamer**.
15. Ons het **net betyds** by die stasie gekom.

24

WOORDESKAT

1. Johannesburg is 'n groot stad, maar Kaapstad en Durban is ook groot *stede*.   *towns* (cities)
2. *Pos hierdie brief* asseblief. Ek het twee *briewe* geskryf.   *post this letter,* *letters*
3. Waar is die *posseël*?   *stamp*
4. *Koop* drie *posseëls* by die *poskantoor*.   *buy, stamps,* *post office*
5. Daar is vier *hotelle* in die stad.   *hotels*
6. Koop die *hemp* in die *winkel*.   *shirt, shop* (store)
7. Al die winkels *verkoop hemde*.   *sell, shirts*
8. Hierdie straat is *breed*, maar *daardie* twee is baie *nou*.   *broad,* *those, narrow*
9. Jy sal 'n *prys kry*, maar dan moet jy werk.   *prize, get*
10. *Daardie* man is 'n *vreemdeling*. Ek ken hom nie.   *that, stranger*
11. *Waarheen* gaan jy? Ek gaan *daarheen*.   *where* (whither), *there* (thither, to that place)
12. Jy kan 'n *huurmotor* by die stasie kry.   *taxi*
13. Hy *soek na* sy pen.   *look for* (search for)
14. *Stuur* die boek *aan* my.   *send to*
15. Wie is die *eienaar* van die hotel?   *proprietor* (owner)
16. Jan is 'n *gawe kêrel*.   *fine fellow*
17. *Probeer* om Afrikaans te praat.   *try*
18. Hy sal my *sitplek* op die trein *bespreek*.   *seat,* *book (reserve)*
19. Die *treine* is nou baie *vol*.   *trains, full*
20. Petrol is nou *duur*, maar *voor die oorlog* was dit *goedkoop*.   *dear,* *before the war, cheap*
21. Ja, *alles* is nou duur.   *everything*
22. Die *haarkapper knip* my *hare* en *skeer* my *baard*.   *barber, cut, hair,* *shave, beard*
23. Sy *skeermes* is *skerp*.   *razor, sharp*
24. Ek *sny* met 'n *mes*, maar *knip* met 'n *skêr*.   *cut, knife, cut* *pair of scissors*
25. Waar is die *naaste* skool?   *nearest*

26. Die naaste skool is *net om die hoek*.	*just round the corner*
27. Kom, ek sal jou *wys*.	*show*
28. Jy is baie *vriendelik*.	*kind* (friendly)
29. Wat is die *hoofstraat* van die stad?	*main street*
30. Die *stadsaal* is nie te ver nie, dit is *naby*.	*town hall*, *near*
31. My ma se *kos* is baie lekker.	*food*
32. Die mense loop op die *sypaadjie* en die motors en *busse* loop in die strate.	*pavement*, *buses*
33. *Hou links* wanneer jy *ry*. Moenie so vinnig ry nie, ry stadig.	*keep left, drive*
34. Dit is die *wet* van die land.	*law*
35. Wat *maak* jy vanaand?	*do*

Note.—**-djie** or **-tjie** at the end of a word is pronounced almost like **-kie** or **-kjie**. These endings also affect the sounds of the vowels preceding them.

Thus **baadjie** is pronounced almost **baaikie**.

katjie „ „ „ **kaikie**.

LEESOEFENING

DIE VREEMDELING IN DIE STAD

JAN: Jy sê jy ken nie die stad nie?

BESOEKER: Nee, ek is 'n vreemdeling in hierdie stad. Ek is 'n besoeker en ek ken niemand hier nie; en dit is 'n groot stad.

JAN: Ja, dit is een van die grootste stede in die Republiek van Suid-Afrika. Maar waarheen wil jy gaan?

BESOEKER: Ek soek na die poskantoor.

JAN: Die poskantoor is in die middel van die stad en naby die stadsaal.

BESOEKER: Ek is haastig, want ek wil 'n brief pos en ek moet ook 'n telegram aan my vrou stuur. Ja, voor ek vergeet, ek wil ook posseëls koop, want ek moet baie briewe skryf. Wat is die beste hotel?

JAN: O, daar is baie goeie hotelle, maar ek dink die *Grand* is die beste. Die eienaar is 'n gawe kêrel en die kos is goed. Maar al die hotelle is nou baie vol, want in die winter kom baie besoekers na die kus toe.

BESOEKER: Ek dink ek sal probeer om by die *Grand* te bespreek. . . . Ek sien julle het baie groot winkels in die stad. Waar is die beste winkel? Ek wil 'n paar skoene en 'n hemp koop.

JAN: Skoene en hemde is baie duur in die groot winkels, maar om die hoek is 'n goeie winkel en alles is daar goedkoop. Hulle verkoop goeie skoene en jy kan mooi hemde daar kry.

BESOEKER: My hare en baard is baie lank. Waar is die naaste haarkapper? Ek moet hom dadelik besoek.

JAN: Ek sal jou 'n goeie plek wys. Hy sal jou hare knip en jou baard skeer, en die plek is nooit te vol nie.

BESOEKER: Baie dankie, jy is baie vriendelik.

JAN: Laat ons op die sypaadjie loop, want daar is te veel busse en motors in die strate en die huurmotors ry baie vinnig. Hierdie straat is nou, maar die hoofstraat is breed en lank.

OEFENING 10

A. Beantwoord die volgende vrae:

1. Waar is die goedkoop winkel?
2. Watter straat is lank en breed?
3. Wat (waarna) soek die man?
4. By watter hotel wil die besoeker bespreek?
5. Wat noem jy die baas van die hotel?
6. Watter soort man is hy?
7. Wat wil die besoeker by die winkel koop?
8. Wat wil die besoeker probeer?
9. Wat is die werk van die haarkapper?
10. Waar is die poskantoor?
11. Is die stadsaal ver van die poskantoor?
12. Wat kan jy by die poskantoor koop?
13. Wat wil die besoeker by die poskantoor maak?
14. Hoe ry die huurmotors?
15. Waar moet die mense in die stad loop?
16. Wat wil die man met die telegram maak?
17. Wanneer is die hotelle vol?
18. Waarom is hulle dan so vol?

B. Vul die regte woord in:

1. Die man is nie oud nie, maar ....
2. Die badkamer is nie groot nie, maar ....
3. Ek gaan daarheen, ... gaan jy?
4. Die poskantoor is nie ver nie, maar ....
5. Die water is warm of ....
6. Loop vinnig en nie so .... nie.
7. Die straat is nie breed nie, maar ....
8. Is dit hierdie of .... boek?
9. Hy het iets gebring, maar sy vriend het .... gegee nie.
10. Jan wil Piet se klavier koop, maar Piet wil dit nie .... nie.

27

C. Skryf die regte vorm van die woorde tussen hakies:

1. Die besoeker het twee (hemp) gekoop.
2. Hoeveel (bus) loop vanaand na die stadsaal toe?
3. Daar is net twee goeie (hotel) in die stad.
4. Al die (trein) is nou baie vol.
5. Hoeveel (posseël) het jy gekoop?
6. Kaapstad is een van die grootste (stad) in die land.
7. Daardie vrou het baie (kind).
8. (Bus) ry nie so vinnig as (huurmotor) nie.
9. Het jy vandag baie (brief) geskryf?
10. Ek het nie mooi (skoen) vir die dans nie.

D. Kies die regte woorde uit die volgende lys:

sypaadjie, wys, om die hoek, bespreek, naaste, oorlog, gawe, hare, sitplekke, hotelle, telegram, besoekers, links, eienaar, haarkappers.

Daar is baie .... in die stad en al die .... is vol. Jy moet 'n .... aan die .... stuur om jou kamer te .... 'n Mens moet in die straat loop want daar is so baie mense op die .... en hulle weet nie hulle moet .... hou nie. Al die .... se winkels is vol, maar ek sal vir jou 'n goeie plek .... Daar sal hulle jou .... knip. Die .... plek is nie ver nie, dit is net .... Baie dankie, jy is 'n .... kêrel. Voor die .... was daar nooit so baie mense in die stad nie en daar was ook genoeg .... op die treine.

LES ELF

WOORDESKAT

1. Papier is nie baie *skaars* nie.	*scarce*
2. Jan luister na die *draadloos* (radio).	*wireless*
3. Hy *hoor* die man sing.	*hear*
4. *Gaan slaap*! Goed, ek sal gaan slaap.	*Go to bed*
5. *Saans* gaan ek *vroeg* slaap.	*In the evening, early*
6. *Snags* slaap al die goeie mense.	*During the night*
7. Ek slaap onder twee *komberse*, want een kombers is nie genoeg nie.	*blankets*

28

8. In die somer is die klimaat *aangenaam*.   *pleasant*

9. In die winter is die *lug* koud, *air*
maar dit is goed vir jou *longe*.   *lungs*

10. In Afrikaans sê ons: Die wind
is koud, maar dit is 'n *koue*
wind.   *a cold wind*

11. Wat is *die koudste plek* in die   *the coldest place*
land?

Note.–For the suffix **est** in English, **ste** is used in Afrikaans, e.g., **hard, harder, hardste.**

12. Daar is vier *provinsies* in die   *provinces*
Republiek. Hulle name is die
Kaapprovinsie, Transvaal, die
Oranje-Vrystaat en Natal.

13. Jy moet baie *melk* drink. Dit is   *milk*
gesond om baie melk te drink.   *healthy*

14. Gaan na 'n *plaas* toe. Daar is   *farm,*
baie *vars room* en melk.   *fresh cream*

15. *Die lewe* op 'n plaas is stil,   *life*
maar ek *geniet* die plaaslewe.   *enjoy*

16. Die *hoender(s)* *lê* die eiers.   *fowl(s), lay,*
Nee, die *henne* lê die eiers.   *hens*

17. In Afrikaans sê ons: Een *skaap*,
maar twee *skape*.   *sheep*

18. Die *slagter slag* baie skape.   *butcher, slaughter (kill)*

19. *Vet vleis* is nou baie duur in die   *Fat meat*
stede.

20. My oom is 'n *boer* in die   *farmer,*
distrik. Hy *boer* op 'n groot   *to farm*
plaas.

21. Hy het baie *beeste* en *perde* op   *cattle, horses*
die plaas.

22. Hy betaal *vyftig rand* vir die   *fifty rand*
een perd.

23. Dit is 'n *mak* perd en my niggie   *tame,*
en my neef kan die perd *ry*.   *ride*

24. *Elke dag* ry hulle 'n *paar*   *Every day, a few kilometres.*
kilometers.

25. Moenie *bang* wees nie, jy kan   *afraid*
ook die perd ry.

26. Die *lui* student leer nie haar les   *lazy*
nie.

29

27. Ek *wens* ek kan Afrikaans praat.	*wish*
28. Afrikaans is die *taal* van die Afrikaners.	*language*
29. Kan jy alles *verstaan* wat hy sê?	*understand*
30. Moenie *skaam* wees nie. Sê dit *weer*, maar praat stadig.	*shy,* *again*
31. Hy praat met 'n sigaret in sy *mond*.	*mouth*
32. Wat is die beste *manier* om 'n taal te leer?	*way* (manner)
33. Kroonstad is 'n groot *dorp*. My broer woon daar en elke week *ontvang* ek 'n brief van hom.	*village (town),* *receive*
34. Sy *eerste* brief was baie interessant.	*first*
35. Hy skryf 'n brief aan sy vriend en begin met die woorde: *Beste Willem*.	*Dear William*
36. Die student maak goeie *vordering*.	*progress*
37. *Binnekort* sal sy goed praat.	*Before long, soon, shortly*
38. Daar is baie *diere* op die plaas.	*animals*
39. Die dame is bang sy sal vet *word*.	*get, become*
40. Mevrou Wessels is meneer Wessels se *vrou* en hy is haar *man*.	*wife,* *husband*

LEESOEFENING

DIE TWEE VRIENDE, PIET EN JAN

PIET: Goeiemôre, Jan. Ek is bly om jou weer te sien. Hoe gaan dit?

JAN: Goeiemôre, vriend. Dit gaan goed, dankie. Wanneer het jy gekom?

PIET: Kom ons gaan tee drink, want ek wil baie praat.

JAN: Goed, die naaste kafee is net om die hoek.

PIET: Hoe gaan dit met jou Afrikaanse lesse?

JAN: Ek dink ek maak goeie vordering en mejuffrou Jansen sê my aksent is goed.

PIET: O, so? Wie is mejuffrou Jansen?

JAN: Sy is die mooiste meisie in die stad, en sy help my om Afrikaans te leer.

PIET: Ja, dit is 'n goeie plan. Dit is 'n goeie manier om 'n taal te leer, maar jy moenie saans te laat gaan slaap nie. Dit is nie gesond nie.

JAN: Ja, dit is waar, maar ek is oud genoeg om dit te weet, Piet. My vriend Willem wil ook leer om te praat, maar hy ken niemand om hom te help nie. Hy is 'n gawe kêrel en jy sal van hom hou. Dink aan 'n plan!

PIET: Sê hy moet na 'n plaas toe gaan; daar sal hy gou leer.

JAN: Maar hy sal 'n vreemdeling op 'n plaas wees, want hy ken geen boere nie.

PIET: Dit maak nie saak nie; ek ken 'n goeie familie in Transvaal en ek sal aan die eienaar van die plaas skryf. Die mense sal hom vriendelik ontvang en hy sal die plaaslewe geniet. Die man is 'n ryk boer en hy het baie koeie, beeste, skape en perde.

JAN: Ek wens ek kan gaan, want nou water my mond. Ek sal met Willem praat. Hy moet dadelik gaan en hy moet vergeet om so skaam te wees.

PIET: Ja, hy sal gou leer praat, want hulle is gawe mense. Maar wag, Jan, ek is baie haastig en ek sal jou later weer sien.

JAN: Goed, ek sal vir jou wag. Tot siens Piet, en baie dankie vir die tee.

OEFENING 11

A. Skryf die volgende sinne oor, maar begin met die vetgedrukte woorde:

1. Hy sal **binnekort** goeie vordering maak.
2. Jy moenie **saans** so laat gaan slaap nie.
3. Sy is die mooiste meisie **in die stad**.
4. Ek ontvang **elke week** 'n brief van mejuffrou Pienaar.
5. Jy sal baie ryk boere **in daardie distrik** sien.
6. Die naaste poskantoor is **net om die hoek**.
7. Die klimaat is gewoonlik baie aangenaam **in die somer**.
8. Hy sal 'n vreemdeling **op die plaas** wees.
9. Daardie aand het ons **baie vroeg** gaan slaap.
10. Daar is vier provinsies **in die Republiek**.
11. Ek sal jou **later** weer sien.
12. Op daardie plaas het Willem **baie gou** vet geword.
13. Hy sal **binnekort** alles verstaan wat die mense sê.
14. Meneer Wessels het **vyftig rand** vir die een perd betaal.
15. Hy het **snags** onder twee komberse geslaap.

B. Skryf die Afrikaanse woorde vir die Engelse woorde tussen hakies:

1. Jan, **(you)** moet nie so baie praat nie.

2. **(She)** het elke week aan **(him)** geskryf.
3. Na **(which)** plaas toe gaan jy?
4. **(We)** het na **(William's)** adres gesoek, maar **(nobody)** het **(his)** huis geken nie.
5. **(I)** het gister **(your)** koerant vir **(you)** gegee.
6. **(She)** sal nie **(his)** tee vir **(him)** bring nie.
7. **(They)** het na **(us)** gesoek, maar **(we)** het **(them)** nie gesien nie.
8. **(Who)** het **(something)** van die plaas gesê?
9. **(What)** noem **(you)** die eienaar van die winkel?
10. Vriende, **(you)** moet nie vergeet om na die draadloos te luister nie; die nuus in **(your)** koerante is nie waar nie!
11. **(Which)** winkel in die stad is die goedkoopste?
12. **(You)** moet vir **(your)** broer sê **(he)** moet nie so skaam wees nie.
13. **(My)** oom sal vir **(you)** alles gee.
14. **(Nobody)** het 'n woord van **(him)** gepraat nie.
15. **(Nowhere)** het ons vriendeliker mense gesien nie.

LES TWAALF

'N BRIEF VAN WILLEM AAN SY VRIEND JAN

"Mooimeisiesfontein",
Distrik Standerton.
Transvaal.
10 Julie 1973.

Beste Jan,

Hoe gaan dit? Ek hoop dit gaan goed met jou. Het jy jou vriend vergeet? Waarom skryf jy nie aan my nie? Jy moet nie so lui wees nie, want hier op die plaas is dit baie stil. Nuus is baie skaars want ons kry nie baie koerante nie. Saans luister ons na die draadloos en ons hoor mooi musiek, maar gewoonlik gaan ons vroeg slaap.

Snags is dit baie koud en ek slaap onder vier komberse. Van die vier provinsies is Transvaal die koudste in die winter. Natal se winterklimaat is baie aangenaam want dit is nie so koud nie, maar ek dink dit is gesond om die koue lug in jou longe te kry.

Die plaaslewe is baie interessant en ek wens jy was ook hier. Jy sal die plaaslewe geniet, want ons in die stede ken nie die plaasmense so goed nie. Hulle is nie so haastig as ons nie, want hulle het 'n stiller lewe. Hulle werk baie hard, maar hulle het ook genoeg tyd vir plesier. Meneer Wessels en sy vrou is baie vriendelik en goed vir my en hulle help my baie met my Afrikaanse lesse.

Nou praat ek beter Afrikaans, want ek probeer om elke dag te praat. Maar die mense praat vir my te vinnig en ek kan nie altyd alles verstaan nie. Ek dink dit is 'n goeie manier om 'n taal te leer. Jy moet die taal hoor, lees, praat en skryf. Elke dag lees en skryf ek, want ek wil die taal goed ken. Ek probeer om 'n Afrikaanse koerant te lees, maar ek verstaan nie alles nie. Ek maak goeie vordering en binnekort sal ek jou wys wat ek kan doen.

Die eienaar van die plaas melk vyftig koeie en elke môre kry ons vars melk, room en botter. Die boer se vrou het baie hoenders en ek eet baie eiers. Daar is baie skape en beeste op die plaas. Elke week slag meneer Wessels 'n skaap en die vars vleis is baie lekker. Ek eet te veel en ek dink ek sal te vet word. Jan, dink aan al die lekker kos en jou mond sal water.

Die boer het mooi perde en elke môre ry ek veld toe. Ek hou baie van die een perd, want hy is mak. Die eerste dag was ek bang om te ry, maar nou ken ek die perd en ek kan al goed ry.

Die stasie is nie ver van die plaas nie en my werk is om die briewe te gaan pos. Daar is nie 'n poskantoor op die stasie nie, maar die stasiemeester ontvang die briewe en verkoop posseëls. Die naaste poskantoor is op die dorp, maar dit is te ver om elke dag dorp toe te ry. Vandag gaan ek stasie toe om my sitplek te bespreek, want die treine is nou baie vol.

Ek dink hierdie brief is nou lank genoeg. Ek weet jy is baie lui, maar skryf aan my voor ek vertrek en moenie my adres vergeet nie.

Sê groete aan jou suster en Annie.

Jou vriend,
WILLEM.

OEFENING 12

A. Beantwoord die volgende vrae:

1. Watter soort diere is daar op die plaas?
2. Wie is die eienaar van die plaas?
3. Wat sê Willem, hoe gaan dit met sy Afrikaanse lesse?
4. Waarom geniet Willem die plaaslewe?
5. Wat sê hy van die plaasmense?
6. Watter provinsie is die koudste in die winter?
7. Waarom sal Jan se mond water?
8. Wat is die beste manier om 'n taal te leer?
9. Wat sê Willem van die een perd?
10. Onder hoeveel komberse slaap Willem?
11. Wat maak Willem saans?
12. Waarom is die mense op die plaas nie so haastig as die mense in die stad nie?
13. Het hulle tyd vir plesier?

14. Wat eet Willem elke môre?
15. Wat gaan Willem altyd by die stasie maak?
16. Hoe gaan hy gewoonlik daarheen?
17. Waarom is die nuus skaars?
18. Waarom dink Willem die koue klimaat is gesond?
19. Waar is die naaste poskantoor?
20. Wat maak die stasiemeester?
21. Wat sal Willem binnekort vir Jan wys?
22. Waarom kan Willem nie elke dag dorp toe gaan nie?
23. Wat gaan Willem bespreek?
24. Wanneer moet Jan aan Willem skryf?

B. Vul die regte voorsetsel in:

1. Daardie kêrel wil .... jou praat.
2. .... die plaas ry ek gewoonlik elke dag perd.
3. Kyk, die kind speel .... jou pen.
4. Hy woon net .... die hoek van die straat.
5. Sy het haar vriend .... die poskantoor ontmoet.
6. Ons gaan môre .... my oom se plaas toe.
7. Hulle sal vandag .... jou wag.
8. Dit gaan goed .... sy familie.
9. Die dame wil sing en ons moet .... haar luister.
10. Dink .... jou vriende in Transvaal.
11. .... die somer word dit hier baie warm.
12. Die koerant lê .... die tafel .... die bed.
13. Hou jy .... vars room?
14. Kyk .... daardie papier .... die grond.
15. Jy moet .... hom skryf .... sy vertrek.
16. Ek het die skeermes .... daardie winkel gekoop.
17. Ek wens jy wil .... my daardie boek gee.
18. Nee wag, ek sal dit later .... jou stuur.
19. Wys .... ons Willem se brief.
20. Soek jy .... jou vader se skoene?
21. Hou jou hand .... jou mond.
22. Die stasiemeester is altyd baie goed .... my.
23. Sê groete .... daardie gawe kêrel.
24. Hy kyk .... sy horlosie en sê dit is te laat.
25. Die kinders hou altyd baie .... die plaaslewe.

C. Kies die regte woord uit die volgende lys:

probeer, praat, verkoop, water, ry, betaal, ontvang, gekry, hoor,
geniet, besoek, melk, vergeet, ry, gesny, word, bespreek, knip,
vertrek, pos, verstaan.

1. Jy moenie met die motor so vinnig .... nie.
2. Moenie so baie eet nie, jy sal te vet ....
3. Hoeveel koeie .... jou oom elke môre?
4. Op die plaas .... ons baie perd.
5. Ek dink sy sal die plaaslewe ....
6. Elke week .... ek 'n brief van my oupa en ouma.
7. Luister goed en jou mond sal ....
8. Hy kan nog nie daardie taal .... nie.
9. Sal jy asseblief die brief by die poskantoor ....?
10. Het jy al jou sitplek ....?
11. Jy moet .... om meer Afrikaans te lees.
12. Ek kan nie al die woorde .... nie.
13. Luister goed en jy sal .... wat hy sê.
14. Hoe laat .... jou trein?
15. Hy het 'n prys ...., want hy het hard gewerk.
16. Die posmeester het vandag baie posseëls ....
17. Daardie haarkapper kan my hare nie goed .... nie.
18. Wanneer kom jy ons weer ....?
19. Ek het .... om die bediende te ....
20. My neef het sy hand met die skerp mes ....

D. Vul die regte vorm van die woorde in:

bv. Haar hand is **hard**, my hand is **harder**, maar sy hand is die **hardste**.

1. Tee is **skaars**, koffie is ...., maar papier is die ....
2. Jan is **lui**, Piet is ...., maar Willem is die ....
3. Bettie is **mooi**, Annie is ...., maar Hettie is die ....
4. Ek is **bang**, hy is ...., maar jy is die ....
5. Ons is **gesond**, julle is ...., maar hulle is die ....
6. Hierdie mense is **vriendelik**, daardie mense is ...., maar die plaasmense is die ....
7. My pen is **goed**, Willem se pen is ...., maar daardie een is die ....

E. Skryf nou Jan se brief met die woorde wat jy ken.

LES DERTIEN

KOM LAAT ONS SING

1. Hier is 'n Afrikaanse *volksliedjie*.   *folk-song*
2. *Sommige* mense dink dit is die Afrikaanse   *some*
   volkslied, maar dit is nie.   *national anthem*

35

3. Ek dink jy ken die liedjie, want dit is baie
   goed bekend.   *well known*
4. Jy het dit al *dikwels* oor die draadloos   *often*
   gehoor.
5. Hier is die woorde van die eerste *vers*.   *verse*
6. Jy sal sien in die eerste vers is daar net 'n
   paar woorde *wat* jy nie ken nie.   *that, which*
7. Ek sal later 'n *grammofoonplaat* speel dan   *gramophone record,*
   kan jy na die *wysie* luister.   *tune*
8. Leer die woorde en probeer om hulle te
   onthou.   *remember*

Sarie Marais

My Sarie Marais is so ver van my hart,
Maar ek hoop om haar weer te sien.
Sy het in die *wyk* van die Mooirivier   *district*
gewoon,
Nog voor die oorlog het begin.   *even before*

KOOR   *Chorus*

O bring my *terug* na die ou Transvaal,   *back*
Daar waar my Sarie woon,
Daar onder in die mielies by die *groen*   *down yonder,*
doringboom,   *green thorn tree*
Daar woon my Sarie Marais,
Daar onder in die mielies by die groen
doringboom,
Daar woon my Sarie Marais.

OEFENING 13

Skryf in Afrikaans:

1. Do you speak Afrikaans? No, not too well, but I am making good
   progress.
2. Can you read this? Yes, I can. And this? No, I cannot.
3. Where can I buy a newspaper? Just round the corner.
4. What is the time please? You are too late for the bus, but there is a taxi.
5. Where are you going? I am going to visit my friend.
6. Do you know where he lives? No, I am sorry, but I don't.
7. Do you know my sister? No, I have not met her yet.
8. I must show you something. It is a present from my uncle.
9. I am sorry, but I cannot wait, because I am in a hurry.
10. I want to learn to speak the language.
11. Did John show you William's letter?

36

12. No, but I shall be very pleased to see it.
13. No, I am only joking, he did not write to me today. He is too lazy to write to us every week.
14. Good morning, how are you? Very well, thank you.
15. Mr. Naudé forgot to book a room in the hotel for me.
16. Where is the nearest post office, please? I must send a telegram to my wife and children.
17. Thank you very much. Good-bye, I shall see you again soon.
18. Will you have a cup of tea? Thank you, it will be very nice.
19. Are you going to the coast? No, I have no money. I beg your pardon?
20. When does the train leave? Do you think I shall get there in time? Yes, if you run.

LES VEERTIEN

TELWOORDE–NUMERALS

Nou moet jy leer om in Afrikaans te *tel*.   *count*
Laat ons nou begin om in Afrikaans te tel.   *let*

Hooftelwoorde Cardinal Numbers (Indicating the number of things)		Rangtelwoorde Ordinal Numbers (Indicating the order or rank)	
1	een	1ste	*eerste*
2	twee	2de	tweede
3	drie	3de	derde
4	*vier*	4de	vierde
5	vyf	5de	vyfde
6	ses	6de	sesde
7	sewe	7de	sewende
8	ag	8ste	*agste*
9	nege	9de	neënde
10	tien	10de	tiende
11	elf	11de	elfde
12	twaalf	12de	twaalfde
13	dertien	13de	dertiende
14	*veertien*	14de	veertiende
15	vyftien	15de	vyftiende
16	sestien	16de	sestiende
17	sewentien	17de	sewentiende
18	agtien	18de	agtiende
19	neëntien	19de	neëntiende
20	twintig	20ste	*twintigste*

21	een-en-twintig	21ste	een-en-twintigste
22	twee-en-twintig	22ste	twee-en-twintigste
30	dertig	30ste	dertigste
35	vyf-en-dertig	35ste	vyf-en-dertigste
40	*veertig*	40ste	veertigste
44	vier-en-veertig	44ste	vier-en-veertigste
50	vyftig	50ste	vyftigste
60	sestig	60ste	sestigste
70	sewentig	70ste	sewentigste
80	tagtig	80ste	tagtigste
88	ag-en-tagtig	88ste	ag-en-tagtigste
90	neëntig	90ste	neëntigste
99	nege-en-neëntig	99ste	nege-en-neëntigste
100	honderd (eenhonderd)	100ste	honderdste
1 000	duisend (eenduisend)	1 000ste	duisendste
1 001	eenduisend-en-een	1 001ste	duisend-en-eerste
5 000	vyfduisend	5 000ste	vyfduisendste
1 000 000	miljoen	1 000 000ste	miljoenste

Let wel.—Ons sê: **vier**, maar **veertien en veertig; agt en agtien, maar tagtig; nege**, maar **neëntien en neëntig.**

Note.—**Eerste, agste, twintigste** and all ordinals beyond that take the suffix *ste*; for all the other ordinals up to **neëntiende**, *de* is used.

Note.—Where numerals are joined by **en**, hyphens are used, e.g., **vier-en-twintig**.

Where units are used in front of numbers as *multipliers*, the words are joined together without the hyphen, e.g., **vyfduisend**.

BREUKE—FRACTIONS

$\frac{1}{2}$ =	halwe, helfte. **'n halwe** eier; **die helfte** van die appel.
$\frac{1}{3}$ =	'n derde, een-derde.
$\frac{2}{3}$ =	twee-derdes.
$\frac{1}{4}$ =	'n kwart.
$\frac{3}{4}$ =	drie-kwart.
$\frac{1}{8}$ =	'n agste, een-agste.
$\frac{3}{8}$ =	drie-agstes.
$\frac{7}{18}$ =	sewe-agtiendes.

Note the difference between **kwart, kwartier** and **kwartaal**.
e.g., **'n Kwart** van die boek = *A quarter* of the book.
   'n Kwartier (15 minute) = *A quarter of an hour.*
   'n Kwartaal (3 maande) = *A quarter of a year.*

ADDITION, SUBTRACTION, MULTIPLICATION AND DIVISION

7 + 2 = 9   sewe **plus** twee **is** nege.
             sewe **en** twee **is** nege.
7 − 2 = 5   sewe **min** twee **is** vyf;
             sewe **minus** twee **is** vyf.
7 x 2 = 14 **sewe maal** twee **is** veertien.
7 ÷ 2 = 3½ sewe **gedeel deur** twee is drie-en-'n-half.

GROOTTE EN TELLING–SIZE AND SCORE

Wat is die *grootte* van die kamer?   *size*
Die kamer is ses by vier meters.
Watter *nommer skoen dra* jy?   *size shoe, wear*
Ek dra nommer agt.
Jan en Piet speel tennis. Wat is die *telling*?   *score*
Die telling is ses-vyf.

TEL DIE GELD

Daar is twee halfsente in 'n *sent*.   *cent*
Daar is vyf sente in 'n *vyfsentstuk*.   *five-cent-piece*
Daar is twee vyfsentstukke in 'n *tiensentstuk*. *ten-cent-piece*
Daar is twee tiensentstukke in 'n *twintigsent-stuk*.   *twenty-cent-piece*
Daar is vyftig sente in 'n *vyftigsentstuk*.   *fifty-cent-piece*
Daar is honderd sente in 'n *rand*.   *rand*
In 'n rand is daar vyf *twintigsentstukke*.
'n Motor kos *drieduisend* rand.   *three thousand rand*
Hy het 'n *vyfrandnoot* in sy sak.   *five-rand-note*
Hy het 'n *tienrandnoot*.   *ten-rand-note*
Hy het tien een rand *note*.   *notes*
Hy sal *per tjek* betaal   *by cheque*

OEFENING 14

A. Lees hardop:

    49; 1 002; 92; 199; 5½; 37ste; 101⅜; 13 X 6 = 78; 3¼; 17 − 4 = 13;
    36 ÷ 3 = 12; 87; 888; 9½; 144; 17de; 24 − 13 = 11; 3de; 52 + 11 = 63;
    15 ÷ 3 = 5; R3,25; R0,06; R0,40.

B. Maak die volgende sinne negatief:

    (*Voorbeeld*: Die meisie was hier.–Die meisie was nie hier nie).

  1. Piet praat.

2. Piet praat Afrikaans.
3. Piet sal Afrikaans praat.
4. Piet het baie goed gepraat.
5. Piet kan Afrikaans praat, want hy hoor dit elke dag.

C. Skryf die volgende sinne oor maar begin met die vetgedrukte woorde:

1. Ons het **gister** 'n volksliedjie geleer.
2. Die kind sal per bus **na** die naaste skool gaan.
3. Die man sê **julle** moet nie so baie praat nie.
4. Ons gaan gewoonlik nie **so** vroeg slaap nie.
5. Hy het die koerant **by** die boekwinkel gekoop.
6. Daar is honderd sente **in** 'n rand.
7. Al die studente gaan **vandag** tennis speel.
8. Jy moet vir my **by** die stasie wag.
9. Hy het **die** eerste kwartaal baie hard gewerk.
10. Baie mense kry hulle geld **op** die laaste dag van die maand.
11. Ons het **saans** na die draadloos geluister.
12. In die winter is dit snags baie koud **in** Transvaal.
13. Niemand wil **vanaand** bioskoop toe gaan nie.
14. Gewoonlik gaan ek en **my** neef in die swembad swem.
15. Dit is **nou** baie stil in ons huis, want al my vriende is weg.

LES VYFTIEN

TYD—TIME

1. Die *name* van die *dae* van die week is **Sondag, Maandag, Dinsdag, Woensdag, Donderdag, Vrydag, Saterdag.**	*names, days*
2. Die name van die *maande* van die jaar is **Januarie, Februarie, Maart, April, Mei, Junie, Julie, Augustus, September, Oktober, November, Desember.**	*months*
3. Hy het 'n week *gelede* gekom, maar hy het drie *weke* gelede aan my geskryf.	*ago* *weeks*
4. *Verlede week* het hy gekom, maar sy vrou het *veertien dae gelede* vertrek.	*last week* *a fortnight ago*
5. *Aanstaande week* vertrek ons na Kaapstad toe.	*next week*
6. *Oor veertien dae* gaan ons na Johannesburg toe.	*in a fortnight's time*
7. *Hierdie week* sal ons baie Afrikaans praat.	*this week*
8. *Vanjaar* was dit baie warm, maar verlede jaar was dit koud.	*this year*

40

9. *Die vorige jaar* was dit *ook* warm.   *the previous year, also*
10. Die man was *'n rukkie gelede* hier.   *a little while ago*
11. Hy sal *oor 'n rukkie* hier wees.   *presently*

DATUMS—DATES

1943   Neëntienhonderd drie-*en*-veertig.
       Nineteen hundred *and* forty-three.

1795   Sewentienhonderd vyf-*en*-neëntig.
       Seventeen hundred *and* ninety-five.

1901   Neëntienhonderd-*en*-een.
       Nineteen hundred *and* one.

1910   Neëntienhonderd-*en*-tien.
       Nineteen hundred *and* ten.

1920   Neëntienhonderd-*en*-twintig.
       Nineteen hundred *and* twenty.

1921   Neëntienhonderd een-*en*-twintig.
       Nineteen hundred *and* twenty-one.

Op Sondag, **7 April 1652**, het Jan van Riebeeck
in Tafelbaai geland.   *in Table Bay*
Op Sondag, **die 7de April 1652**, het hy geland.

Note.
   (a) When **die** is used before the date, the suffix **de** or **ste** is added.
   (b) *No comma* is used after the name of the month.

HOE LAAT IS DIT?

PIET: Hoe laat is dit nou?
JAN: Dit is nou *op die kop vyfuur*.   *exactly five o'clock*
PIET: Wat sê jy, *presies vyfuur*?   *exactly five o'clock*
      Nee, dit kan nie so laat wees nie!
      Jou horlosie is tien minute *voor*.   *fast*
      My horlosie sê *tien minute voor vyf*.   *ten minutes to five*
JAN: Dit is nie waar nie. Jou horlosie is *agter*.   *slow*
      Dit is nou presies *een minuut oor vyf*.   *one minute past five*
PIET: Hoe laat begin jou Afrikaanse les?
JAN: Gewoonlik begin die les *om* twintig   *at*
      minute voor ses.
PIET: En *om sesuur* hoor ons die nuus.   *at six o'clock*
JAN: Ja, ons moet gou maak, want ons moet
      halfses (5.30) by die huis wees. Die   *half past five*
      eerste bus vertrek *kwart oor vyf*.   *a quarter past five*

PIET: Sal daar tyd wees om iets te eet? Jy weet my trein vertrek om kwart voor sewe.

JAN: O, ek het gedink jou trein vertrek om kwart voor sewe *voormiddag* (6.45 vm.) 6.45 *a.m.*

PIET: Nee, die stasiemeester het gesê om kwart voor sewe *namiddag* (6.45 nm.) 6.45 *p.m.*
en ek wil *om halfsewe* by die stasie *at half past six*
wees.

OEFENING 15

A. Gebruik die regte woorde uit die lys vir die volgende sinne:

gelede, kleingeld, sommige, oor, genoeg, om, verlede, halfsewe, dikwels, vorige, oor 'n rukkie, baai, hierdie, op die kop, dra, agter, kwartier, grootte, maande, telling, name, oor veertien dae, per, voor, vanjaar, aanstaande.

1. Ek ken daardie man goed, want ek het hom al .... gesien.
2. Ons gaan .... trein Kaapstad toe, want ons het nie .... geld vir 'n motor nie.
3. Hulle het tennis gespeel, maar ek kan nie die .... onthou nie.
4. .... jaar was die groente goedkoop, maar .... is alles baie duur.
5. Jy kan 'n paar minute wag, want hy sal .... by die kantoor wees.
6. Ons gaan vandag na die kus toe en sal .... weer terug wees.
7. .... mense kan 'n taal baie gou leer.
8. By die huis .... hy sy ou skoene.
9. Ek sal .... week vir jou daardie grammofoonplaat koop.
10. Sy het 'n .... vir daardie kêrel gewag.
11. Jou horlosie is ...., want dit kan nie so laat wees nie.
12. Twee weke .... het ek hom in die poskantoor gesien.
13. Ken jy al die .... van die dae van die week en die .... van die jaar?
14. .... vyfuur kan jy 'n koerant by daardie winkel kry.
15. Jy kan die skip in die .... sien.
16. Verlede jaar was dit warm, maar die .... jaar was die baie warmer.
17. Het jy .... vir 'n rand?
18. Dit is nou .... sesuur en ek sal om .... voor die poskantoor vir jou wag. Nee, jou horlosie moet .... wees, want dit is al tien minute .... ses.
19. Die .... van die kamer is ses by vyf meters.
20. Ons sal julle .... Woensdag kom besoek.

42

B. Beantwoord in goeie sinne:

1. Hoeveel weke is daar in die jaar?
2. Noem die dae van die week en die maande van die jaar.
3. Hoe laat in die aand vertrek Piet se trein?
4. Hoeveel geld het jy in jou sak?
5. Hoe laat is dit nou?
6. Hoeveel maande is daar in 'n kwartaal en hoeveel minute in 'n kwartier?
7. Waar is die grootste horlosie in die stad?
8. Is jou horlosie voor of agter?
9. Kom jy gewoonlik betyds by die skool?
10. Hoeveel betaal jy per maand vir jou lesse?
11. Is Sarie Marais 'n volkslied of 'n volksliedjie?
12. Ken jy die wysie en onthou jy die woorde van die eerste vers van die liedjie?

LES SESTIEN

MEER AS EEN—MORE THAN ONE

Ons sê: Een **perd** maar twee **perde**.
         Een **dier** maar drie **diere**.
         Een **skoen** maar vier **skoene**.

maar   Een **eier** en ses **eiers**.
         Een **bottel** en twaalf **bottels**.

Following are given a few simple rules to enable you to use the correct plural forms of name-words.

Rule 1.

If the accent falls on the **last syllable** of the name-word, the plural is usually formed by adding **e**. This means that, with a few exceptions, all name-words of one syllable add **e** for the plural.

Voorbeelde:

Een	Meer as een
kombers	komberse
student	studente
tent	tente
vriend	vriende
party	partye
woord	woorde
dorp	dorpe

43

telegram	*telegramme*
sigaret	*sigarette*
rebel	*rebelle*
bus	*busse*
les	*lesse*
mes	*messe*
pen	*penne*
plek	*plekke*

Note.—When the last syllable contains only one vowel (i.e., a, e, i, o, u) followed by a single consonant (as in *sigaret* and *plek*) the **last consonant is doubled** if e is added.

mens	mense
manier	maniere
trein	treine
koei	koeie
naam	*name*
plaas	*plase*
taal	*tale*
meneer	*menere*
boom	*bome*
kantoor	*kantore*

Note.—If the name-word contains a double vowel followed by a single consonant (as in *plaas* and *kantoor*) **one of the vowels is dropped** when e is added.

brief	briewe
wolf	wolwe
kloof	klowe

Note.—If the name-word ends in **f**, the f is changed to w when e is added.

Rule 2.

If the accent does not fall on the last syllable of the name-word, the plural is usually formed by adding s.

Voorbeelde:

Een	**Meer as een**
kêrel	kêrels
besoeker	besoekers
kamer	kamers
winkel	winkels
koppie	koppies
provinsie	provinsies

44

Rule 3.

Name-words denoting **relationship** add s for the plural.

Voorbeelde:

vader	vaders
moeder	moeders
broer	broers
suster	susters
neef	neefs
niggie	niggies
oom	ooms
tante	tantes

Try to remember the following **exceptions** to the above rules:

hemp	**Hemde** is nou baie duur.
stad	Londen en Parys is groot **stede**.
skip	Daar is baie **skepe** in die baai.
dag	Tien **dae** gelede was Jan hier.
vlag	Hoeveel kos al daardie **vlae**?
vraag	Jy moet al die **vrae** beantwoord.
nag	In die winter is die **nagte** koud en lank.
lig	Ons kan al die **ligte** in die strate sien.
glas	Gewoonlik drink hy twee **glase** water.
arm	Daardie man het lang **arms**.
tjek	Gister het ek drie **tjeks** aan die mense gestuur.
kafee	Saans is al die **kafees** vol.
kind	Daardie vrou het tien **kinders**.
Engelsman	Die **Engelse** woon in Engeland en praat Engels.
Fransman	Die **Franse** woon in Frankryk en praat Frans.
pad (road)	Daar is baie goeie **paaie** in ons land.
gat (hole)	Daar is vier **gate** in die skip.
vreemdeling	Die **vreemdelinge** verstaan nie ons taal nie.
gesig (face)	Ek kan nie al die **gesigte** onthou nie.
vrug (fruit)	Eet baie soorte **vrugte**.

N.B.—Always try to avoid the wrong use of the following words that are plural in English but singular in Afrikaans:

'n **broek**—*a pair of trousers.*
> e.g., Die man het 'n nuwe *broek* gekoop.

'n **bril**—*a pair of spectacles, eyeglasses.*
> e.g., Die professor dra *'n bril.*

'n **skêr**—*a pair of scissors.*
> e.g., Die haarkapper werk met 'n skerp *skêr.*

45

A. Skryf die sinne oor maar begin met die vetgedrukte woorde:

1. Julle moet **op die kop twee-uur** daar wees.
2. Ons het **al** die vorige maand se koerante gelees.
3. Die helfte van die boek het **ek** nog nie gelees nie.
4. Hy praat te vinnig **vir** my.
5. Ons sal julle **aanstaande Vrydagaand** kom besoek.
6. Verlede week het **al** die lampe in die strate gebrand.
7. Jy kan **by daardie winkel** sigarette koop.
8. Daar is **gewoonlik** baie skepe in die baai.
9. 'n Jaar gelede het hy **al** die groot stede in the land besoek.
10. Hy het **om** tienuur in die môre na sy oom se plaas toe vertrek.

B. Skryf al die naamwoorde in die meervoud:

1. Verlede nag was die boer se perd, koei, skaap en bees in die kraal.
2. Die Fransman leer die taal van daardie land.
3. Die dame hou nie van die vreemdeling se gesig nie.
4. Die dag was warm, maar die nag koud.
5. Ons kan die vlag op die skip sien.
6. Daar brand 'n lig in die kafee.
7. Daar is 'n wolf in daardie kloof.
8. Daar was 'n groot gat in die pad.
9. Hy het vir sy vriend 'n mooi hemp by die winkel gekoop.
10. In die brief was 'n tjek vir die eienaar van die hotel.
11. Hoe laat loop die bus na daardie plek toe?
12. Gee die student 'n pen, 'n boek en 'n inkpot.
13. Die Engelsman hou nie baie van die plaaslewe nie en die boer kan die stadslewe nie geniet nie.
14. Die kind van die besoeker kan goed Engels praat.
15. Die applikant het die nuus in die koerant gelees en dadelik 'n telegram gestuur.

LES SEWENTIEN

DIE KLOP AAN DIE DEUR

Hy *klop aan* die deur. Niemand antwoord nie.	*knock at*
Hy **maak** die deur **oop**.	*open*
MAN:	Wie is jy? Wat soek jy?
DIEF:	Dit spyt my, maar ek het gedink dit is my vriend se kantoor.

46

MAN:	(Hy **haal** sy rewolwer **uit**.) Ek glo jou nie! Luister na my! Doen alles wat ek sê of ek *skiet*! Ek het jou *verwag*.	*take out* *shoot, expect*
DIEF:	Maar Meneer	
MAN:	**Slaan** die lig **aan**!	*switch on*
	Haal jou hoed **af**!	*take off*
	Trek 'n vuurhoutjie!	*strike, match*
	Steek 'n sigaret **op**!	*light*
	Blaas die vuurhoutjie **dood**!	*put out (blow dead)*
	Trek jou baadjie **uit**!	*take off*
	Sit daardie rewolwer op die tafel **neer**.	*put down*
	Haal jou sakdoek **uit**!	*take out your handker-chief*
	Bind dit oor jou mond!	
	Wat makeer jou? Maak gou, jy is te stadig!	*what is the matter with you?*
	Maak jou sigaret **dood**! Daar is 'n *asbakkie*.	*put out* *ash-tray*
	Trek jou baadjie **aan**!	*put on*
	Sit jou hoed **op**!	*put on*
	Slaan die draadloos **aan**!	*put on (switch on)*
	Sit op daardie stoel!	
	Kan jy hoor? Die polisie soek na jou.	
	Ek sal hulle *bel*.	*ring up*

'n Paar minute later

MAN:	Kom *binne*. Hier is julle man!	*in*
POLISIE:	Baie dankie. Dit *gebeur* nie elke dag nie.	*happen*
MAN:	Ek het hom dadelik *herken*. (Hy **staan op** en **slaan** die draadloos **af**.)	*recognise* *get (stand) up, switch off*

Note.—

(i) With *hemp, onderhemp, broek, sokkies en kouse (stockings), baadjie, onderbaadjie en jas*, the action-words **trek aan** (put on) and **trek uit** (take off) are used.

With *hoed*, **afhaal** and **opsit** are used, and with *das* (tie) and *boordjie* (collar) **afhaal** and **omsit**.

Voorbeelde:

   Sit jou hoed **op**. **Haal** jou hoed **af**.
   Sit jou boordjie en das **om**.
   Haal jou boordjie en das **af**.

47

(ii) The past tense is usually formed by using *het* and *ge* + *action-word*, but in the sentence: *Ek het hom dadelik herken*, the *ge* is omitted.

The general rule is: Action-words beginning with the prefixes **be, ge, her, er, ont, ver**, do not take the *ge* in the past tense.

Voorbeelde:

begin	Vroeg in die môre *het* ons *begin*.
gebeur	Dit *het* verlede week *gebeur*.
herken	Ek *het* my ou vriend dadelik *herken*.
erken	Hy *het* die ontvangs van my brief *erken*.
	He acknowledged the receipt of my letter.
ontvang	'n Rukkie gelede *het* ons sy tjek *ontvang*.
vertel	My oupa *het* ons die storie *vertel*.

THE AUXILIARY ACTION-WORD

het—gehad—hê

Vandag **het** ek 'n boek.	*have*
Môre **sal** ek 'n boek **hê**.	*shall have*
Gister **het** ek 'n boek **gehad**.	*had*

sal—sou

Hy **sal** bly wees.	*will be*
Hy **sou** bly wees.	*would be*

wil—wou

Vandag **wil** hy die nuus **hoor**.	*wants to hear*
Gister **wou** hy die nuus **hoor**.	*wanted to hear*
Die man **wil** 'n koerant **hê**.	*wants (to have)*
Die man **wou** 'n koerant **hê**.	*wanted (to have)*

kan—kon

Vandag **kan** die student nie praat nie.	*can (is able)*
Gister **kon** sy goed praat.	*could (was able)*
Sy **sal** dit **kan** doen.	*She will be able to do it*

Note.—Do not use *hê* after *kan*.
e.g. You *can have* it.
Jy kan dit **kry**.

moet—moes

Vandag **moet** ek my vriend bel.	*must (have to)*
Gister **moes** ek die polisie bel.	*had to*
Ek **sal moet** gaan.	*shall have to*
Ek **moes** gaan.	*had to*
Ek **moes** gegaan het.	*should have*

48

OEFENING 17

A. Vul die regte voorsetsel in:

1. Ek sal .... 'n rukkie weer hier wees.
2. Sit die boek .... die tafel neer.
3. Het daar niemand .... die deur geklop nie?
4. My pa soek .... sy vuurhoutjies.
5. Ek sal nie vergeet om jou .... sesuur te bel nie.
6. Die dief sal .... jou by die kamer wees.
7. Jan, sit 'n das .... jou nek voor jy kom eet.
8. Daardie seun wil nie .... my luister nie.
9. Hulle het .... die kop eenuur .... die poskantoor gekom.
10. Hy het die polisie .... kwart .... sewe gebel, en vyf minute .... sewe was hulle daar.
11. Moenie jou hand .... jou mond hou nie.
12. Hy het nie die ontvangs .... die applikant se brief erken nie.
13. My oupa en ouma het .... skip Kaapstad toe gegaan.
14. Moenie so baie .... daardie woorde dink nie.
15. Ons het baie .... die grammofoonplate gehou.
16. Sal jy asseblief elke dag 'n koerant .... my stuur?
17. My pa het die man dadelik .... tjek betaal.
18. Vanaand sal al die kinders .... die huis wees.
19. Haar vriend het na Pretoria toe gegaan, maar hy sal .... 'n week weer terug wees.
20. Willem, ek wil nie weer .... jou praat nie!

B. Skryf die volgende sinne in die verlede tyd:

1. My suster wil nie aan die vreemdeling skryf nie.
2. Sy oom het baie ryperde op die plaas.
3. Ek sal die kêrel gou herken.
4. Hulle moet na die polisiekantoor toe gaan.
5. Elke dag vergeet ek om die brief te pos.
6. Ons skool begin op 31 Januarie.
7. Verstaan jy al die woorde in die koerant?
8. Nee, ek kan sommige woorde nie verstaan nie.
9. Dit gebeur elke week en ek moet my pa bel om my te help.
10. Sal hy vir jou daardie storie vertel?
11. Hy bespreek sy sitplek by die naaste stasie.
12. Die boer verkoop baie vet skape aan die slagter.
13. Kan jy al die man se vrae beantwoord?
14. Moet jy elke week na die dokter toe gaan?
15. Ek het altyd 'n goeie horlosie in my sak.
16. Hy moet begin werk, want dit is al laat.
17. Jou suster wil nie met my praat nie.

18. Eet julle elke week vars groente en vrugte?
19. My moeder ontvang al die geld vir die boeke.
20. Ek betaal die man vir die sigarette en vuurhoutjies.

C. Vul die regte woorde in:

1. In die huis .... ek my hoed ....
2. .... die lig ...., want dit is te donker.
3. Moenie klop nie, ... die deur ....
4. .... jou jas ...., want dit is vanaand baie koud.
5. .... die draadloos ...., want hy wil na die musiek luister.
6. Voor ek gaan slaap, ... ek my boordjie en das .... en .... my skoene en sokkies ....
7. Voor ek loop .... ek my baadjie .... en .... my hoed ....
8. Ek kan nie met daardie skeermes .... nie, want my baard is te hard.
9. .... vir my 'n sigaret .... asseblief.
10. .... die draadloos ...., want ek kan nie langer na daardie man luister nie.

LES AGTIEN

WOORDESKAT

1. Die *vakansie* was baie welkom.	*holidays*
2. Die meisie *lyk* baie mooi.	*look*
3. Daardie motor*band* is *nuut*. Vandag is nuwe *bande* nie so *duur* nie.	*tyre, new* *new tyres, dear*
4. Ek kon nie dadelik *besluit* nie.	*decide*
5. Die Springbokke *speel teen* die studente.	*play against*
6. Dit is nie te goed nie, dit is *sleg*.	*bad*
7. My *keel* is *seer*, want ek het vandag baie gepraat.	*throat, sore*
8. Hy het 'n *pyn* in sy *been*.	*pain, leg*
9. Moenie altyd van *liefde* praat nie.	*love*
10. Ek wil *rus*, want ek is *moeg*.	*rest, tired*

LEESOEFENING

'N BRIEF VAN JAN AAN PIET

Kerkstraat 205
Durban
15 Julie 1973

Beste Piet

Waarom hoor 'n mens niks van jou nie? Willem het my vertel hy het jou veertien dae gelede op die plaas gesien. Jy praat altyd so baie, maar jy is te lui om aan 'n mens te skryf.

Willem het die vakansie op die plaas baie geniet en die kêrel praat nou baie beter Afrikaans. Aanstaande jaar wil hy weer daarheen gaan, want hy hou baie van die plaaslewe en die vriendelike mense. Die koue klimaat was goed vir hom en hy lyk baie gesond.

Wanneer kom jy ons weer besoek? Ek wil vir jou my nuwe motor wys. Verlede week het ek 'n kans gekry om 'n motor te koop en het dadelik besluit om nie langer te wag nie. Ek het vierduisend-en-tien rand betaal, maar ek moes 'n motor koop om na Transvaal te gaan. Dink jy ek het te veel betaal? Ek weet jy sal sê die prys maak nie saak nie, want jy dink ek is 'n ryk man. Maar dit is nie so nie, want ek moet vir elke sent baie hard werk.

Het jy van Willem se broer gehoor? Hy reis in Italië en het nooit aan sy ouers geskryf nie. Maar nou het sy vader en moeder 'n week gelede van hom 'n brief ontvang. Hy geniet die vakansie en hulle was bly oor die nuus, want hulle het gedink hy was siek. Willem gaan aanstaande week na Europa per vliegtuig om sommige van die interessante plekke daar te sien. Hy sal ook Parys en Londen besoek. Oor 'n maand kom hy per skip terug. Hy is 'n baie gelukkige kêrel, want so 'n vakansie sal baie geld kos.

Ou vriend, ek het slegte nuus vir jou. Hettie Pienaar is nie te gesond nie. Haar keel is baie seer en sy het baie pyn, want die dokter se medisyne het niks gehelp nie. Hy sê sy moet aanstaande week hospitaal toe gaan en 'n operasie ondergaan. Ek het self die dokter gebel en met hom gepraat. Hy sê dit sal nie 'n groot operasie wees nie. Onthou om aan haar te skryf, want sy praat dikwels van jou. Hulle sê liefde is blind, maar ék is nie Piet! Vandag was ek baie besig want die telefoon het my geen rus gegee nie. Vanaand voel ek te moeg om meer te skryf en wil vroeg gaan slaap.

Sê groete aan jou pa en ma.

Jou vriend
Jan

51

OEFENING 18

A. Beantwoord die volgende vrae:

1. Wanneer wil Willem weer plaas toe gaan?
2. Waarom wil hy weer daarheen gaan?
3. Waarom lyk Willem so gesond?
4. Wanneer het hy vir Piet gesien?
5. Wat het hy so baie geniet?
6. Wat skryf Jan van Willem se broer?
7. Watter lande sal Willem besoek?
8. Waarom was Willem se pa en ma so bly?
9. Wanneer en hoe kom Willem terug?
10. Watter nuus is nie goed nie?
11. Wat het Jan besluit om te doen?
12. Wat makeer Hettie Pienaar?
13. Waarheen moet sy gaan?
14. Waarom moet sy daarheen gaan?
15. Wat moet Piet onthou?
16. Wat sê Jan van liefde?
17. Hoe voel Jan vanaand?
18. Wat sê hy van die telefoon?
19. Hoeveel het hy vir die nuwe motor betaal?
20. Wat sal Piet van die prys sê?

B. Skryf die Afrikaanse vir die Engelse woorde:

1. Het **somebody** my gebel? Nee, **nobody** het jou gebel nie.
2. **He** sal nooit **his** brief beantwoord nie.
3. **Which** man het vir **you** daardie nuus vertel?
4. **Where** gaan jy môre? Nee, ek gaan **nowhere** nie.
5. **Who** sê **that** nuus is nie offisieel nie?
6. Het hy **something** betaal? Nee, hy het **nothing** betaal nie, want **he** het **no** geld gehad nie.
7. **He** wou vir **her something** sê, maar **she** wou nie na **his** stories luister nie.
8. **What** makeer **you** Jan? **You** lyk nie gesond nie.
9. **We** het al **our** papier aan **them** gegee, want **they** wou aan **their** vriende in Europa skryf.
10. **She** het **his** present gekoop, want **she** het **him** verwag.
11. Vriende, **I** is baie bly om **you** vanaand hier te sien en **I** hoop **you** sal die aand geniet.
12. Piet, **we** weet **you** dink nie so nie, maar wat **they** vir **you** sê, is waar.
13. **These** mense kan die taal goed praat, maar **those** kêrels ken nie 'n woord nie.

52

14. **Those** sakdoeke is goedkoop, maar **this** das is te duur.
15. **He** het **there** gegaan, maar **where** het **she** gegaan? **She** het nie na **us** toe gekom nie.

C. Gee die meervoud van die naamwoorde in die volgende sinne:

1. Die kind skryf die oefening in die boek.
2. Die pad in daardie provinsie is baie goed.
3. 'n Dorp is nie so groot as 'n stad nie.
4. Die rebel praat met die vreemdeling op die skip.
5. Daar is 'n gat in die motor se band.
6. Die Fransman wou nie met die Italianer praat nie.
7. Die prisonier se keel en been was baie seer.
8. Hierdie hemp is goedkoop, maar daardie hoed en das is baie duur.
9. Hierdie skoen is te klein vir die groot voet van daardie seun.
10. Die perd is nie so vet as die koei nie.

D. Skryf in die verlede tyd:

1. Ek is moeg en ek wil rus, maar ek kan nie.
2. Waarom moet ek so dikwels met jou praat?
3. Sy onthou die name en adresse van al die mense.
4. Gebeur dit baie dikwels in die stad?
5. Hy is in die hospitaal, want hy het baie pyn in sy been.
6. Ek moet baie hard werk, want my pa kan my nie die geld gee nie en ek wil oor twee jaar na Europa toe gaan.
7. Ek weet jy sal so sê, maar ek moet dit doen om my moeder te help.
8. Wie betaal die kind se boeke?
9. Ons geniet die vakansie op die plaas.
10. Ons ry baie perd, eet baie vars vleis en drink baie melk.

E. Skryf Piet se brief aan Jan.

LES NEËNTIEN

WOORDESKAT

1. Die artikels is **goedkoop** of **duur**.	*cheap–dear*
2. Haar hare is **lig** of **donker**.	*light–dark*
3. Die boek is **dik** of **dun**.	*thick–thin*
4. Die stede is **skoon** of **vuil**.	*clean–dirty*
5. Die meisies is **mooi** of **lelik**.	*pretty–ugly*
6. Die oefeninge is **maklik** of **moeilik**.	*easy–difficult*
7. Die vakansie was **aangenaam** of **onaangenaam**.	*pleasant–unpleasant*

53

8. Die nagte is **kort** of **lank**.	*short—long*
9. Die skoene is **nuut** of **oud**.	*new—old*
10. Die bagasie is **lig** of **swaar**.	*light—heavy*
11. Die vrugte is **groen** of **ryp**.	*green—ripe*
12. Die studente is **slim** of **dom**.	*clever—dull (stupid)*
13. Julle werk is **goed** of **sleg**.	*good—bad*
14. Die mense is **ryk** of **arm**.	*rich—poor*
15. Die eiers is **hard** of **sag**.	*hard—soft*
16. Die brood is **vars** of **oud**.	*fresh—old (stale)*
17. Die paaie is **droog** of **nat**.	*dry—wet*
18. Die diere is **dood** of **lewendig**.	*dead—alive*
19. Die strate is **breed** of **nou**.	*broad—narrow*
20. Die pad is **wyd** of **nou**.	*wide—narrow*
21. Jy is altyd te **vroeg** of te **laat**.	*early—late*
22. Die glase is **vol** of **leeg**.	*full—empty*
23. Jou antwoorde is **reg** of **verkeerd**.	*right—wrong*
24. Die huis se mure (walls) is **hoog** of **laag**.	*high—low*
25. Dit moet **wit** of **swart** wees.	*white—black*
26. Haar lippe is altyd **rooi** of **blou**.	*red—blue*
27. Hulle vlae is gewoonlik **groen** of **geel**.	*green—yellow*
28. Die water is **diep** of **vlak**.	*deep—shallow*
29. Die planke is **los** of **vas**.	*loose—fixed (firm)*
30. Die ringe is van **goud** of **silwer**.	*gold—silver*
31. Die tee is **soet** of **bitter**.	*sweet—bitter*
32. Die kinders is **soet** of **stout**.	*good—naughty*
33. Die lesse is **interessant** of **oninteressant**.	*interesting—uninteresting*
34. Die moeders voel **gelukkig** of **ongelukkig**.	*happy—unhappy*
35. Die rebelle sal **wen** of **verloor**.	*win—lose*
36. Hulle sal **gelukkig** of **ongelukkig** wees.	*lucky—unlucky*
37. Die vleis is **vet** of **maer**.	*fat—lean*
38. Die vreemdelinge voel **trots** of **skaam**.	*proud—ashamed (shy)*
39. Haar oë is **blou** of **bruin**.	*blue—brown*
40. Sy arms is **sterk** en nie **swak** nie.	*strong—weak (physically)*
41. Die tee is **sterk** of **flou**.	*strong—weak (tea, coffee)*
42. Die kaptein is **dapper** en nie **bang** nie.	*brave—afraid*

DESCRIPTIVE WORDS

Onthou ons sê:

Die wind is **koud**, maar dit is 'n **koue** wind.
Die plan is **goed**, maar dit is 'n **goeie** plan.
Die plaasmense is **vriendelik**, maar hulle is **vriendelike** mense.

Die boek is **mooi**. Dit is 'n **mooi** boek.
Die boom is **groen**. Dit is 'n **groen** boom.

You will therefore notice that an **e** is added to some descriptive words, used *before* the words they describe.

Try to remember the following rules:

Rule 1

Descriptive words of **one syllable** ending in **D**(on't) **F**(orget) **G**(o) **S**(lowly) usually add *e* when used *before* the name-words they describe.

Voorbeelde:

d   Die appel is **hard**
     Dit is 'n **harde** appel.

f   Die man is **doof** (*deaf*).
     Daar loop die **dowe** man.

g   Die ink is **sleg**.
     Dit is **slegte** ink.
     Sy hande is **sag**.
     Hy het **sagte** hande.

s   Die storie is **snaaks** (*funny*).
     Dit is 'n **snaakse** storie.
     Die plank is **vas**.
     Dit is 'n **vaste** plank.

Note.

  (i) If the English equivalent ends in **d** or **t** (e.g., sleg = *bad*, sag = *soft*, vas = *fixed*) **te** is added.

 (ii) **Vars** and **los** do not take **e**, e.g., Ek hou van **vars** melk. Dit is 'n **los** plank.

Rule 2.

Descriptive words of **more than one syllable** add **e** when used *before* name-words.

Voorbeelde:

Die klimaat is **aangenaam**.
Dit is 'n **aangename** klimaat.
Die les is **maklik**.
Dit is 'n **maklike** les.
Jan is **besig**.
Hy is 'n **besige** man.

Note.—If the descriptive word ends in **er**, it does not add **e**.

    e.g., Dit is **lekker** kos.
       Hy drink **bitter** koffie.

Rule 3.

If the descriptive word is not used in its literal sense, it always adds **e** when used before a name-word.

Voorbeelde: Daardie man is baie **arm**.
                      Hy is 'n **arm** man.
maar   Die **arme** miljoenêr het sy been gebreek.
                      Jan het 'n **duur** motor gekoop.
maar   Dit was vir hom 'n **dure** les. (costly experience)

Onthou die spelling.

In the following words the **d** is dropped when **e** is added:

dood   Die hond is **dood**. Daar lê die **dooie** hond.
goed   Jou brief is **goed**. Jy het 'n **goeie** brief geskryf.
koud   Vandag is dit **koud**. Dit is 'n **koue** dag.
breed   Die hoofstraat is **breed**. Baie motors kan in die **breë** straat ry.
wyd   Hierdie pad is **wyd**. Dit is lekker om in 'n **wye** pad te ry.

In words containing two vowels, the **g** is dropped when **e** is added.

laag   Die stoep is **laag**. Die huis het 'n **lae** stoep.
hoog   Die muur is **hoog**. Dit is 'n **hoë** muur.
droog Die brood is **droog**. Ek hou nie van **droë** brood nie.
vroeg Die trein is **vroeg**. Wanneer vertrek die **vroeë** trein?
leeg   Jou glas is **leeg**. Waarom staan jy met 'n **leë** glas?

Note.—The diaeresis (¨) is used to indicate the beginning of a new syllable. In the word **hoë** it is used in order to distinguish between **hoe** (how) and **hoë** (high). Since the combination ae, as in **dae, lae, vlae,** cannot be confused with any other sound, the use of the diaeresis sign becomes unnecessary.

OEFENING 19

A. Skryf die volgende sinne oor maar begin met die vetgedrukte woorde:
    1. Hy sal **ongelukkig** nie daar kan wees nie.
    2. Sy moes **verlede** week hospitaal toe gaan.
    3. Sy vader en moeder was baie bly **oor** die nuus.
    4. Hulle het **in die winter** baie vroeg gaan slaap.
    5. Daar sal **aanstaande jaar** baie nuwe kinders in ons skool wees.
    6. Op die plaas het ons **dikwels** gaan perdry.
    7. Ons het **nooit** van die man se gesig gehou nie.
    8. Hulle kon ons **verlede Sondag** nie besoek nie.
    9. Hy het **gewoonlik** baie min met my gepraat.
   10. Dit was baie moeilik **om** die regte bande te kry.

11. Ek sien die seun met die rooi hare **elke dag**.
12. Hy werk **saans** baie laat in die kantoor.
13. Ons het hom **twee maande gelede** in Noord-Afrika gesien.
14. Hy wou die man **dadelik** in die been skiet.
15. Vanjaar het dit baie **in Natal** gereent.

B. Vul die regte woord in:

    bv. Die motor was nie **goedkoop** nie, maar **duur**.

1. Sy broek is nie te **kort** nie, maar te ....
2. Die strate is nie **wyd** nie, maar ....
3. Die bottel is nie **vol** nie, maar ....
4. Die koerant is **dik** of ....
5. Sy pa is nie **ryk** nie, maar ....
6. Haar suster is nie **oud** nie, maar ....
7. Die mure was **laag** en nie .... nie.
8. Die koffie is **sterk** en nie .... nie.
9. Daardie appel is nie **groen** nie, maar ....
10. Hierdie mielies is nie **hard** nie, maar ....
11. Hulle sitkamer is nie **groot** nie, maar ....
12. Daardie student is te **dom** om iets te leer, maar sy suster is .... en ken alles.
13. Waarom is jy **bang**? Jy moet .... wees.
14. Ek weet jy kan nie in die **diep** water swem nie, maar hier is dit ....
15. Die koffie was **bitter**, maar nou is dit weer te ....

C. Watter van die twee woorde tussen hakies is die regte?

1. Ek het 'n (**goud, goue**) horlosie gekoop.
2. My broer is 'n (**lang, lank**) kêrel.
3. Ons het nie baie (**dom, domme**) kinders in ons skool nie.
4. My oupa kan net (**sag, sagte**) vrugte eet.
5. Dit is 'n baie (**maklike, maklik**) les.
6. Daar is net twee (**breë, breed**) strate in ons stad.
7. Die (**arm, arme**) kind se moeder is dood.
8. Waarom het die (**dappere, dapper**) offisier nie geskiet nie?
9. Ek hou nie van daardie meisie se (**rooi, rooie**) lippe nie.
10. Hulle voel baie (**gelukkige, gelukkig**), want hulle het die (**goed, goeie**) nuus gehoor.
11. Ek hou nie daarvan om op 'n (**hard, harde**) bed te slaap nie.
12. Op die plaas slaap ons met (**oop, ope**) deure.
13. Ons het verlede jaar 'n baie (**interessant, interessante**) boek gelees.
14. Dit was 'n (**waar, ware**) storie van 'n (**ou, oud**) moeder en haar (**jong, jonk**) dogter.

57

15. Hierdie oefening is nie te (**moeilik, moeilike**) nie en ek kan alles (**goed, goeie**) verstaan.

LES TWINTIG

THE JOINING OF SENTENCES BY MEANS OF CONJUNCTIONS

Some conjunctions, that is, words forming the links between two or more sentences, affect the word-order in Afrikaans. Notice how in the following sentences the position of the action-word is affected by the different conjunction used in each case:

1. Die man **lees** sy koerant *en* sy vrou **luister** na die draadloos.
2. Die man **lees** sy koerant, *dus* **luister** sy vrou na die draadloos.
3. Die man **lees** sy koerant *terwyl* sy vrou na die draadloos **luister**.

In Afrikaans the conjunctions can be divided into **three** distinct groups:

Group 1. Conjunctions of this group **do not affect** the normal order of words.

en = and	Jan leer sy les *en* Willem **skryf** 'n brief.
maar = but	My suster is hier, *maar* my broer **sal** môre **kom**.
want = because	Ek wil poskantoor toe gaan, *want* ek **wil** 'n brief **pos**.
of = or	Jy moet nou gaan, *of* jy **sal** te laat daar **kom**.

Group 2. In sentences introduced by conjunctions of this group the action-word or auxiliary, if one is used, **immediately follows the conjunction**.

dus = thus	Die man lees sy koerant, *dus* **luister** sy vrou na die draadloos.
	Die man lees sy koerant, *dus* **sal** sy vrou na die draadloos **luister**.
	Die man het gelees, *dus* **het** sy vrou na die draadloos **geluister**.
daarom = therefore	Hy praat te veel, *daarom* **is** sy keel seer.
tog = yet	Hy is siek, *tog* **gaan** hy skool toe.
nogtans = nevertheless	Hy was siek, *nogtans* **het** hy skool toe **geloop**.
anders = otherwise	Jy moet baie lees, *anders* **sal** jy alles **vergeet**.
dan = then	Sy moet baie skryf, *dan* **sal** sy meer woorde **onthou**.

Group 3. In a sentence introduced by a conjunction of this group, the action-word and the auxiliary (if one is used) are placed **at the end** of that sentence.

58

Voorbeelde:

dat = that	Die stasiemeester sê *dat* die trein om halftwee **vertrek**.
	Die stasiemeester sê *dat* die trein om halftwee **sal vertrek**.
	Die stasiemeester sê *dat* the trein om halftwee **vertrek het**.
omdat = because	Jy sal nie betyds kom nie, *omdat* jy te stadig **is**.
sodat = in order that	Leer die groepe *sodat* jy goed **kan praat**.
voordat = before	Leer die groepe goed *voordat* jy weer **skryf**.
nadat = after	Die vrou was bly *nadat* sy die nuus **gehoor het**.
totdat = until	Wag hier *totdat* die polisie **kom**.
wat = who, which, that	Daar loop die man *wat* ons môre **kom besoek**.
alhoewel = although	Hy sal betyds hier wees, *alhoewel* die trein laat **was**.
sodra= as soon as	Ek sal aan jou skryf *sodra* ek by die huis **kom**.
soos = as	Ons vertrek môre, *soos* ek jou **gesê het**.
tensy = unless	Sy sal jou nie betaal nie, *tensy* die werk goed **is**.
terwyl = while	Die dief het gekom *terwyl* die man in die kantoor **was**.
of = whether	Vra hom *of* jy jou briewe **kan kry**.
as = if	Ek sal jou die antwoord sê, *as* jy goed **luister**.
hoe = how	Sê my *hoe* 'n mens die taal **kan leer**.
waar = where	Die polisie sal jou wys *waar* die poskantoor **is**.
waarom = why	Kan jy my sê *waarom* hy dit **gedoen het**?
aangesien = seeing that	Ek sal nie gaan nie *aangesien* sy so onvriendelik **is**.
asof = as if	Die meisie sit daar *asof* sy geen tong **het** nie.
as = when (present)	Ek sal jou bel *as* ek die nuus **kry**.
wanneer = when (present)	Ek sal jou bel *wanneer* ek die nuus **kry**.
toe = when (past tense)	Ek het hom gebel *toe* ek die nuus **gekry het**.

Pas op!	**Waarskuwing!**	**Gevaar!**
(Look out!)	(Warning!)	(Danger!)

 (i) **As** and **wanneer** (when) are only used in present and future tenses.
 (ii) **Toe** (when) is used in past tenses only.
 (iii) Both **omdat** and **want** mean *because*, but they are in different groups.
 (iv) When the whole action-word combination is placed at the end of the sentence, **het** follows the principal action-word, while all the other auxiliary action-words (**sal, kan, moet, wil**, etc.) precede it.

59

e.g., Hy sê dat hy aan my **geskryf het**.
Hy sê dat hy aan my **sal skryf**.

(v) The second **nie** is usually placed at the end of the whole sentence.
e.g., Ek kan **nie** sien waar die lig brand **nie**.

(vi) In the sentence following the conjunction the subject stands as near as possible to the conjunction.

(vii) If the sentence (or clause) introduced by the conjunction stands first, the action-word in the second sentence immediately follows it.
e.g., As jy dit sê, **glo** ek jou nie.

(viii) The conjunction **as** (if, when) never has the same meaning as *as* in English.

OEFENING 20

A. Combine the following sentences by means of the conjunctions given in brackets:

1. Jy moet jou sitplek bespreek.   (anders)
   Jy sal te laat daar kom.
2. Die treine is nou baie vol.   (dus)
   Jy moet jou sitplek betyds bespreek.
3. Sê vir die besoeker.   (waar)
   Hy kan 'n koerant koop.
4. Willem lyk baie gesond.   (omdat)
   Hy het baie vars melk op die plaas gedrink.
5. Elke môre slaap Jan te laat.   (daarom)
   Hy kom altyd te laat by die kantoor.
6. Sy vader was baie bly.   (toe)
   Hy het die goeie nuus ontvang.
7. Baie mense in Europa dink.   (dat)
   In Suid-Afrika woon net swart mense.
8. Jy moet daardie mense help.   (want)
   Hulle weet nie beter nie.
9. Ek kan dit nie verstaan nie.   (waarom)
   Die mense dink so.
10. Hulle moet na Suid-Afrika toe kom.   (dan)
    Hulle sal sien dit is nie waar nie.
11. Daar is baie mooi plekke in ons land.   (wat)
    Hulle is ook vir die toeriste interessant.
12. In Natal praat nie baie mense Afrikaans nie.   (maar)
    In die ander provinsies ken die meeste mense Afrikaans en Engels.
13. Natal is die provinsie.   (waar)
    Daar is die beste winterklimaat in die land.
14. Baie Transvalers gaan in die winter na die Natalse kus toe.   (omdat)
    Hulle wil die warm subtropiese klimaat geniet.

15. In die somer besoek baie Natallers die Drakensberg. (want)
Die lug is daar baie koeler.
16. Daar is baie hotelle en vakansieplekke naby die Drakensberg. (nogtans)
Dit is moeilik om in Desember daar plek te kry. (tensy)
Jy bespreek 'n kamer vroeg in die jaar.
17. Transvaal is die rykste provinsie in Suid-Afrika. (omdat)
Die grootste goudmyne in die wêreld is daar.
18. Die mense in Natal moet oor die Drakensberg ry. (voordat)
Hulle kom in die Oranje-Vrystaat en Transvaal.
19. Jy sien geen hoë berge nie. (nadat)
Jy het op die groot Suid-Afrikaanse plato gekom.
20. 'n Mens kan daar vinnig ry. (aangesien).
Die paaie is gewoonlik baie goed.
21. Daar groei baie mielies in Transvaal en in die Oranje-Vrystaat. (dus)
Ons het genoeg mielies vir die mense en die diere in hierdie land.
22. Die rykste goudmyne is op die Witwatersrand. (daarom)
Johannesburg is die grootste stad in die land.
23. Suid-Afrika is 'n ryk land. (nogtans)
Daar is baie arm mense in die land.
24. Moenie vir my vra nie. (waarom)
Dit is so.
25. 'n Mens dink ook aan die Uniegebou in Pretoria. (wanneer)
Iemand praat van Transvaal.
26. Pretoria is die stad. (waar)
Al die ministers woon in mooi huise.
27. In Transvaal is ook die *Kruger-wildtuin (Kruger National Park)*. (wat)
Dit lê op die *grens* (*border*) van Transvaal en Portugees-Oos-Afrika.
28. Dit is baie interessant om al die wilde diere te sien. (dus)
Die toeriste gaan gewoonlik die wildtuin besoek.
29. Ons sal die wildtuin weer besoek. (sodra)
Ons het genoeg geld.
30. Jan kan nie baie ver ry nie. (alhoewel)
Hy het 'n nuwe motor.
31. Jy moet na al die mooi plekke gaan kyk. (terwyl)
Jy is in hierdie land.
32. Leer hierdie *voegwoorde* (conjunctions) baie goed. (anders)
Jy sal die taal nooit goed kan skryf of praat nie.
33. Moenie so na my kyk nie. (asof)
Jy verstaan nie alles nie.
34. Leer die woorde in die drie groepe. (totdat)
Jy ken hulle almal goed.

35. Ek weet jou volgende brief sal beter wees.   (want)
    Jy is 'n goeie student.

B. Skryf die regte vorm van die byvoeglike naamwoord tussen hakies:

1. My vader en moeder hou daarvan om in 'n (**stil**) straat te woon.
2. Ons het 'n baie (**aangenaam**) vakansie gehad.
3. Die kind trek sy (**nat**) skoene uit, want hy is nie 'n (**gesond**) kind nie.
4. Nee, dit is nie 'n (**goed**) voorbeeld nie en jy moenie al die (**lelik**) woorde onthou nie.
5. Op daardie (**droog**) pad kan jy vinnig ry, maar pas op, want met daardie (**sleg**) bande sal ek nie te vinnig ry nie.
6. Jy moet na my waarskuwing luister, want die gevaar is nie die (**nat**) paaie nie, maar die (**oud**) bande.
7. Ek hou nie van (**maer**) vleis nie en (**vet**) skape is nou baie skaars.
8. Het jy daardie (**snaaks**) kêrel in die (**nuut**) winkel gesien?
9. Hy dra altyd 'n (**groen**) das en 'n (**swart**) baadjie, en sy (**wit**) skoene is nooit skoon nie.
10. Hoe laat vertrek die (**vroeg**) trein na Pretoria toe? Staan op daardie (**hoog**) muur en jy sal die (**groot**) horlosie sien.
11. Elke môre moet ek in (**koud**) water bad, want te veel mense hou van 'n (**warm**) bad.
12. Ek hou nie van (**soet**) koffie nie, want 'n koppie (**sterk**) koffie met genoeg (**vars**) melk is die lekkerste vir my.
13. Moenie met die (**leeg**) koppie in jou hand staan nie; gee dit vir daardie (**doof**) vrou.
14. Kan ek asseblief 'n (**skoon**) sakdoek kry? 'n (**Ryk**) man met 'n (**vuil**) sakdoek lyk nie mooi nie.
15. Het jy die (**dood**) kat in die (**donker**) straat gesien? Die (**arm**) dier was te stadig vir die motor.

LES EEN-EN-TWINTIG

WOORDESKAT

1. Dit is aangenaam om op die *strand* in die son te lê. — *beach*
2. By daardie kafee kry 'n mens goeie *etes*. — *meals*
3. Ek wil die *bespreking kanselleer*. — *booking, cancel*
4. Ek wil geen name *noem* nie. — *mention*
5. *In plaas van* koffie drink hy melk. — *instead of*
6. Ek neem net een *lepel suiker*. — *spoon, sugar*
7. Dit is 'n mooi foto van die *suikerrietlande* in Natal. — *sugar-cane fields*

8. In die bos is baie *ape* en *slange*. *monkeys, snakes*
9. 'n Aap hou van *piesangs*. *bananas*
10. My pa gaan 'n groot *woonhuis bou*. Dit sal *dwelling, build,* 'n mooi *gebou* wees. *building*
11. Op die esplanade staan 'n *standbeeld* van *statue* Dick King.
12. Die *Vallei van 'n Duisend Heuwels* is *tussen* *Valley of a Thousand* Durban en Pietermaritzburg. *Hills, between*
13. Naby die goudmyne is altyd groot *myn-* *mine dumps* *hope*.
14. In die wildtuin kan jy *leeus, renosters,* *lions, rhinoceroses,* *olifante* en *bobbejane* sien. *elephants, baboons*
15. Soms kan 'n mens die *haaie* en die *walvisse* *sharks, whales* in die see sien swem.
16. Sy *verwag* die nuwe vriend wat sy *ontmoet* *expect, meet* het.
17. As dit 'n lang *reis* is, moet jy per trein gaan. *journey*
18. Hy kom nie *selde* nie, maar dikwels. *seldom*
19. Jy *mag* nie sulke sterk tabak in jou pyp *may* *rook* nie. *smoke*
20. Sy het *eers* gelag en *daarna* gehuil. *first, after that cried*
21. In die warm *weer* moet jy koel *klere* dra. *weather, clothes*
22. 'n Glas melk *smaak* lekker as ek *dors* is. *taste, thirsty*
23. *Almal* sê dat sy nou *taamlik* goed praat. *all (everybody), fairly*
24. Wat *bedoel* jy as jy sê al die mense sê so? *mean*
25. Wat is die *verskil* tussen die twee woorde? *difference*
26. Weet jy wat daardie sin *beteken*? Ken jy *mean* die *betekenis* van die woord? Nee, ek het *meaning* geen *woordeboek* nie. *dictionary*
27. My twee susters is in *dieselfde klas*. *the same class*
28. Sodra die son skyn, moet jy die *onder-* *wyser* gaan *roep*. *teacher, call*
29. *Sonder sout* en *peper* kan ek nie eet nie. *without, salt, pepper*
30. Dit is baie *belangrik* om die Afrikaanse *important* woordorde te ken.
31. In die somer is dit aangenaam om berg te *klim*. *climb*
32. Daardie *orkes* speel so vals dat ons nie kan *orchestra (band)* dans nie.
33. Sy *duim* is so seer dat hy nie kan skryf nie. *thumb*
34. Jy sien dus die *vorm* van die twee woorde *form* is dieselfde.
35. *Hou* die woordeboek totdat ek weer kom. *keep*

63

LEESOEFENING
NATAL EN TRANSVAAL

Musgraveweg 212,
Durban.
26 *Julie* 1973.

Beste Hendrik,

So gou het ek nie 'n brief van jou verwag nie, want ek het nie geweet dat jy aanstaande maand Durban toe wil kom nie. Baie dankie vir die interessante nuus en ek hoop jy sal nou meer dikwels aan my skryf.

Nadat ek vanmiddag jou brief ontvang het, het ek dadelik na 'n paar hotelle toe gegaan. Op die strand is al die plekke vol, maar ek het vir jou 'n kamer by die Royal-hotel bespreek. Hierdie hotel is in die middel van die stad en naby al die busse, die bioskope en die museum. Die prys vir die kamer en etes is veertig rand vir die vier dae. Stuur vir my 'n telegram as jy nie van die plek hou nie, dan sal ek die bespreking kanselleer en weer probeer om 'n beter plek te kry.

Goed, ek sal vir jou iets van my provinsie vertel en 'n paar interessante plekke noem wat jy kan gaan besoek as jy hier kom. In plaas van die Transvaalse grasveld en mielielande sal jy die Natalse suikerrietlande, groen bome, subtropiese bosse en vrugte sien. Sommige mense in die ander provinsies noem Natal Piesangland, maar ons noem dit die Tuinprovinsie, omdat dit altyd so mooi groen is. Julle het die meeste goud, maar ons produseer al die suiker in die land. Transvaal het 'n gesonde somerklimaat, ons het die beste winterklimaat. Naby die goudmyne het julle baie mynhope, maar ons het die groen heuwels, en—baie slange. (Pas op vir die mambas as jy hier kom!) Julle het duisende Bantoes by die myne, ons het duisende en duisende Zoeloes en Indiërs. In die Transvaal is die Kruger-wildtuin, in Natal is die Hluhluwe-wildtuin. Julle het meer olifante, ons het al die wit renosters. By julle sien 'n mens springbokke, maar by ons kry jy haaie en walvisse. (Pas op vir die haaie terwyl jy hier is!) Julle het groot plase en baie biltong. Ons het die diep blou see. In Pretoria kan 'n mens die ou woonhuis van president Kruger sien, in Pietermaritzburg kan jy die Voortrekkermuseum gaan besoek. Julle het die groot Voortrekkermonument naby Pretoria, ons het kleiner monumente by Dingaanstat, Bloukrans en Bloedrivier. In Pretoria staan 'n groot standbeeld van Paul Kruger, die laaste president van Transvaal; in Durban is 'n standbeeld van generaal Louis Botha, die eerste Eerste Minister van die Republiek.

Ou vriend, ek dink jy weet nou goed genoeg wat om in Natal te verwag. Sodra jy hier is, sal ek vir jou al die interessante plekke in ons stad gaan wys. Laat my weet wanneer jou trein hier kom, dan sal ek jou by die stasie ontmoet. Ek hoop dat jy die treinreis sal geniet.

Jou vriend,
WILLEM.

64

OEFENING 21

A. Beantwoord die volgende vrae:

1. Wat het Hendrik vir Willem gevra om vir hom te doen?
2. Wat sal Willem doen sodra sy vriend in Durban kom?
3. Wanneer kom Hendrik Natal toe?
4. Watter soorte bosse en lande sien 'n mens in Natal? Waarom kry jy hulle nie in Transvaal nie?
5. Noem 'n paar interessante plekke wat 'n toeris in Transvaal kan besoek.
6. Wat sê Willem van die klimaat van die twee provinsies?
7. Waarom kan 'n mens in Transvaal vinniger ry as in Natal?
8. Watter monumente sou jy vir 'n besoeker wil wys?
9. Willem skryf van 'n paar groot manne. Wie is hulle en watter rol het hulle in Suid-Afrika gespeel?
10. Watter soorte diere wat 'n mens nie in Transvaal sien nie, kry jy in Natal?
11. Van watter geboue skryf Willem? Waar is hulle en waarom dink jy hulle is interessant?
12. Waar is die twee wildtuine en watter soorte wilde diere kan 'n mens daar sien?
13. Wat produseer Natal meer as Transvaal?
14. Waarom is Transvaal die rykste provinsie?
15. Wat het Natal wat Transvaal nie het nie?
16. Waarom dink jy Hendrik sal van die hotel hou?
17. Watter standbeelde noem Willem, en waar is hulle?
18. Wat sal Willem kanselleer?
19. Wat is die naam wat sommige mense aan Natal gee? Waarom het hulle daardie naam aan die provinsie gegee?
20. Waarom noem ons Natal die Tuinprovinsie van die Republiek?

B. Verbind die volgende sinne met die voegwoorde tussen hakies:

1. Hy sal loop. Hy kan nie ry nie.   (as)
2. Jan skryf. Die professor het hom geleer.   (wat)
3. Ek het haar dadelik herken. Ek het haar gesien.   (toe)
4. Willem is te besig. Hy kan nie kom nie.   (dus)
5. Dit het te hard gereent. Sy kon nie skool toe kom nie.   (daarom)
6. Jy moet by die huis wag. Ek kom om vieruur weer.   (totdat)
7. Hy is arm. Hy is baie gelukkig.   (nogtans)
8. Ek sal na die kus toe gaan. Dit is daar nie so koud as hier nie.   (want)
9. Sy sou nie rus nie. Sy het haar kind gevind.   (voordat)
10. Hy het bang gelyk.   (omdat)   Hy het gedink.   (dat)   Hulle wou hom doodskiet.

11. Jy moet dadelik die polisie bel. Jy hoor die dief by die deur. (sodra)
12. Julle moet gou maak. Ek wil vanaand vroeg gaan slaap. (omdat)
13. Hy het te laat daar gekom. Hy wou nie na my luister nie. (want)
14. Daar lê die boek. Ek het dit vir haar gegee. (wat)
15. Jy kan 'n rukkie sit. Jy is te haastig om langer te wag. (tensy)

C. Voltooi die volgende sinne:
   1. 'n Mens wat nie **lewendig** is nie, is ....
   2. 'n Kind wat nie **soet** is nie, is ....
   3. 'n Perd wat nie **wild** is nie, is ....
   4. Skoene wat nie **skoon** is nie, is ....
   5. Oë wat nie **bruin** is nie, is ....
   6. Julle sal nie **wen** nie, maar ....
   7. Iemand wat nie **bang** is nie, is ....
   8. Die see is hier nie .... nie, maar **diep**.
   9. Wat makeer jou? Die plank is nie **los** nie, maar ....
   10. Mense wat nie **slim** is nie, is ....

D. Skryf in die verlede tyd:
   1. Die man wys vir ons alles, terwyl die lig brand.
   2. Ek drink baie melk as ek op die plaas is.
   3. Hy kan dit nie doen nie, want dit is te moeilik.
   4. Jy moet elke dag aan ons skryf terwyl jy in die stad is.
   5. Ek wil baie boeke lees as ek daar kom.
   6. Wanneer ek hom iets vra, beantwoord hy nie my vraag nie.
   7. Hy sal alles onthou as hy in die winkel kom.
   8. Ek moet die betekenis van daardie woord onthou, omdat ek geen woordeboek het nie.
   9. Hy wil 'n belangrike brief aan die kaptein skryf sodra hy die regte nuus hoor.
   10. Die man het 'n seer duim, dus kan hy nie skiet nie.

E. Vul die regte Afrikaanse woorde in:

   Ek het nie **mean** om jou seer te maak nie maar **as** jy weet, mag niemand **without** 'n das in die kamer kom sit nie. Dit is die **law** in hierdie hotel en as jy nie maak soos ek sê nie, sal ek die eienaar moet **call**. As jy weet wat dit **mean**, sal jy dadelik loop, want **everybody** is bang vir hom. Ja dankie, ek sal een van jou sigarette **smoke**. Hulle **taste** lekker en is **fairly** lig. Maak gou en trek jou beste **clothes** aan, want ons begin om halfsewe eet. Ek weet dit was 'n lang **journey** en jy moet baie **hungry** en **thirsty** wees. Ja, die badkamer is net **round** die hoek in **the same** gebou. Nee, daar is geen **difference** tussen die

66

twee nie. Goed, ek sal jou binnekort **expect** en 'n goeie tafel **keep**. Nee dankie, ek drink baie **seldom. Instead of** bier drink ek tee. **I beg your pardon?** Nee, dit is nie sy regte naam nie, maar ons **call** hom so. Ja, ek weet dit is **funny**, maar sy wet is: eers betaal en **after that** die ete.

F. Skryf Hendrik se brief aan Willem.

LES TWEE-EN-TWINTIG

WOORDESKAT

1. *Na* die bioskoop het hulle na die restaurant toe gegaan.	*after*
2. Moenie *agter* my staan nie, anders kan jy niks sien nie.	*behind*
3. Ek sal vir jou die boek *bestel*.	*order*
4. Jan het die man vir sy *vriendelikheid bedank*.	*kindness* *to thank*
5. Ek is baie *tevrede* met die student se vordering.	*satisfied*
6. *Waarheen* gaan jy nou?	*where (whither)*
7. *Hiervandaan* gaan ons na die boeke in die *biblioteek* kyk.	*from here* *library*
8. Ons kan *byna* geen vars groente kry nie.	*almost, nearly*
9. Al die *goed* is nou baie skaars.	*stuff, things*
10. Ek kan *so 'n* mens nie verstaan nie.	*such a*
11. *Sulke* mense maak my *kwaad*.	*such, cross*
12. Hendrik wil die dame *uitnooi* om na die bioskoop toe te gaan.	*invite*
13. Nooi haar uit, sy sal die *uitnodiging aanneem*. Hy het haar uitgenooi en sy het die uitnodiging aangeneem.	*invitation* *accept*
14. Die boere verkoop hulle *wol* en *ander produkte*.	*wool, other* *products*
15. Die een boek is hier, die *ander* is in die kamer.	*others*
16. Ons sal *oor* al die *dinge gesels*.	*about, things, chat*
17. Die *bestuurder* van die motor het so vinnig gery dat die een wiel uitgeval het.	*driver*
18. Hy moes die lig aanslaan, want dit was *pikdonker*.	*pitch dark*
19. As 'n mens saans met 'n *flits* en 'n rewolwer in jou sak loop, dan voel jy *veilig*, want 'n rewolwer is 'n goeie *wapen*.	*torch* *safe* *weapon*

67

20. *Ongelukkig* het ek nie so 'n wapen nie.   *unfortunately*

21. Ons sê hy gaan na die stad toe maar hy
kom *van* die plaas *af*.   *from (van—af used for
expressing motion
from a place)*

22. Dit is nie *nodig* om so vroeg te kom nie,
want ek sal nog nie *wakker* wees nie.   *necessary
awake*

23. Jy moet 'n *bietjie* later *opstaan*.   *little, get up (rise)*

24. As jy 'n tjek uitskryf, moet jy jou naam
teken.   *sign*

25. Die *vliegmasjiene* en die *vloot* speel 'n
groot rol in die oorlog.   *aeroplanes, fleet*

26. Die wind *waai* vandag sterk en die *weer lyk
na* reent.   *blow, weather
looks like*

27. Ek sal *natuurlik* nie so ver kan ry nie.   *naturally (of course)*

LEESOEFENING

HENDRIK IN DURBAN

HENDRIK: Goeiemôre! Dit is baie vriendelik van jou om so vroeg te kom.
Werk jy nie vandag nie?

WILLEM: Nee, soos ek jou gister gesê het, is ons nou nie baie besig nie en
dus wil ek jou 'n paar van die interessante plekke in die stad gaan wys.
Die huurmotor wat ek bestel het, sal om halftien hier wees.

HENDRIK: Die huurmotor sê jy?

WILLEM: Ja ou vriend, ons kan nie na al die plekke toe loop nie, want
sommige van hulle is te ver. En jy is natuurlik nog moeg na die treinreis?

HENDRIK: Nee, ek is nie meer moeg nie, want ek het verlede nag goed
gerus. Dit lyk 'n baie goeie hotel en ek is baie tevrede met alles.

WILLEM: Hier is die huurmotor.

BESTUURDER: Waarheen Menere?

WILLEM: Ry eers na die Indiërmark toe en daarna sal ons na die Europese
mark gaan kyk.

By die Indiërmark

HENDRIK: Ou kêrel, maar dit is interessant! 'n Mens sal nooit dink dat jy
in Suid-Afrika is nie, want hier kry 'n mens 'n Oosterse atmosfeer.

WILLEM: Ja, daarom het ek jou hierheen gebring. Soos jy sien kan 'n mens
byna alles hier koop: vrugte, groente, vleis, vis, eiers, botter, en dan ook
baie dinge wat uit die Ooste uit kom. In geen ander stad in die land sien
jy so 'n plek nie. Nou gaan ek vir jou wys hoe die ander groot Durbanse
mark lyk.

HENDRIK: Wag net so 'n rukkie, ek wil eers twee van daardie Oosterse
asbakkies gaan koop om huis toe te neem!

By die Europese mark

HENDRIK: Maar dit is 'n groot gebou! En kyk net na al die mense!

WILLEM: Ja, kan jy sien hoe baie vrouens hulle goed hier koop? Dit is omdat hulle gewoonlik alles baie goedkoop kry. Ek wonder soms of die boere wat hulle produkte hierheen stuur genoeg geld vir al hulle werk kry. Maar daardie kêrels wat die goed verkoop . . . wat noem 'n mens hulle in Afrikaans? . . .

HENDRIK: Afslaers.

WILLEM: O ja, daardie afslaers ken hulle werk! Soos jy sien, is die stasie naby die markgebou en dus is dit maklik om alles hierheen te bring.

Hiervandaan het hulle na die Ou Fort toe gery, waar Hendrik ook 'n paar ou kanonne wat meer as 'n honderd jaar oud is, gesien het. Op die esplanade het Willem vir sy vriend die standbeeld van Dick King gewys. Ook het hulle die Kongellapark besoek, waar in 1842 die Voortrekkers se kamp onder Andries Pretorius was. In die park het Hendrik ook baie ape gesien—iets wat 'n mens nie in die ander stede in die land sien nie.

Terug by die hotel

HENDRIK: Baie dankie Willem, ek het alles baie geniet. Nou kan ek verstaan waarom julle Natal die Tuinprovinsie noem. Al hierdie mooi groen bome en parke sien 'n mens nie in die ander provinsies nie.

WILLEM: Môre kan ons die museum en die biblioteek gaan besoek en ek sal probeer uitvind wanneer die Zoeloes weer dans.

HENDRIK: Ja, baie dankie, want vir my sal dit interessant wees om 'n Zoeloedans te sien. Willem, kom eet vanaand by my sodat ons meer kan gesels?

WILLEM: Baie dankie vir die uitnodiging. Ek sal om half-sewe hier wees.

HENDRIK: Goed, ek sal jou verwag. Ek het my jas in die trein vergeet, dus sal ek vanmiddag aan die stasiemeester moet skryf.

WILLEM: Ja, ek moet ook aan meneer en mevrou Wessels skryf om hulle vir die lekker biltong te bedank. Ek verstaan dat Jan se vriend Piet ook môre kom. Dit sal baie aangenaam wees as ons vier môre-aand bioskoop toe kan gaan, dan kan ons na die bioskoop lekker gesels.

HENDRIK: Dit is 'n goeie plan!

OEFENING 22

A. Beantwoord die volgende vrae:

1. Waarom was Hendrik die dag na die treinreis nie moeg nie?
2. Wat sê hy van die hotel?
3. Waarom kon Willem so vroeg by Hendrik wees?
4. Watter plekke het hulle gaan besoek?
5. Wat het Willem bestel en waarom?

6. Noem die dinge wat vir Hendrik die interessantste was.
7. Wat het hy van die atmosfeer by die Indiërmark gesê?
8. Waarom dink Willem dat die boere soms nie goeie pryse vir hulle produkte kry nie?
9. Waarom is dit maklik om die produkte mark toe te stuur?
10. Watter ander plekke gaan hulle die volgende dag besoek?
11. Wat het Hendrik gevra voordat sy vriend van die hotel af weggegaan het?
12. Wat was Willem se antwoord?
13. Watter planne het hulle vir die volgende aand gehad?
14. Wat noem 'n mens die mense wat die goed op die mark verkoop?
15. Waarom moes die twee kêrels gaan briewe skryf?
16. Wat het Hendrik van die naam van die provinsie gesê, nadat hy die stad gesien het?

B. Vul die regte voorsetsel in:

1. Maak gou met die boek, want .... jou wil ek dit ook lees.
2. Hy soek .... die man wat verlede week hier was.
3. Pas op .... die slange as jy .... die bos is.
4. Die kinders hou baie .... daardie snaakse man.
5. Ons het .... trein .... Johannesburg toe gegaan.
6. Dink .... ons as jy so baie lekker vrugte eet.
7. Môre .... sesuur moet ons daar wees.
8. Hy sit met sy arm .... sy moeder se nek.
9. Jy kan niks .... geld kry nie.
10. Ons skool begin weer .... halfnege .... 31 Januarie.
11. Hy woon nie baie ver .... die stasie .... nie.
12. Hoe laat luister julle .... die nuus?
13. Dit is nou vyf minute .... ses en om kwart .... sewe sal jy alles hoor.
14. Daar is geen verskil .... daardie twee boeke nie.
15. My pa kom .... drie weke .... Kaapstad .... terug.
16. Staan .... die deur sodat hy jou nie kan sien nie.
17. .... die vakansie kom ons weer terug.
18. Die motor het 'n rukkie gelede .... die hoek van die straat gery.
19. As jy vroeg kom kan ons .... al daardie dinge gesels.
20. Die onderwyser was nie tevrede .... die student se werk nie.
21. Die kind lyk nie .... sy pa nie.
22. Moenie so baie .... jou werk dink nie.

C. Skryf die sinne oor maar begin met die vetgedrukte woorde:

1. Haar vader was by die huis **toe** sy daar kom.
2. Dit is nie goed genoeg **om** die arm mense se geld te ontvang nie.

70

3. Jy mag nie met daardie klere **in die straat** loop nie.
4. Dit sal ek **nooit** kan vergeet nie.
5. Oom Pieter het **eers** sy ou motor verkoop.
6. Hy het **daarna** dadelik na 'n beter een gaan soek.
7. Daar groei nie baie bome **op** die Transvaalse hoëveld nie.
8. Jy moet sê **waarheen** jy wil gaan.
9. Dit is nie veilig **om** saans in die donker strate te loop nie.
10. Sommige mense wil dit **gewoonlik** nie glo nie.
11. Ek het **ongelukkig** nie genoeg geld om jou nou te betaal nie.
12. Hy sal **natuurlik** nooit so vroeg opstaan nie.
13. Vliegmasjiene speel 'n groot rol **in die oorlog**.
14. Sy het **'n paar dae gelede** vir my 'n goeie woordeboek bestel.
15. Hulle het **hiervandaan** na die wildtuin toe gegaan.

D. Vul die regte Afrikaanse woord in:

1. **This evening** moet ek 'n baie **important** brief skryf.
2. **Such** mense kan ek nie verstaan nie.
3. Daar is baie **others** wat ook so dink.
4. **All** die studente was daar, maar **all** het nie gepraat nie.
5. Ek kon niks hoor wat die **other** man gesê het nie.
6. **Such a** lang reis maak 'n mens baie moeg.
7. Toe ons daar kom, was hy nog nie **awake** nie.
8. Hy moes sy naam **sign** voordat hy **something** kon koop.
9. **Some** mense word baie gou kwaad.
10. As die wind so sterk **blows** kan die **fleet** nie vertrek nie.
11. Die **previous** week was daar baie skepe in die baai, maar **a fortnight ago** was daar meer.
12. Is dit **necessary** om so hard te praat?
13. Wag **a bit**, moenie so haastig wees nie.
14. Wat **call** jy daardie soort vleis? **Which** vleis? O, jy **mean** die biltong?
15. **Call** die man en sê ek wil met hom praat.

E. Voltooi die volgende sinne:

1. Jy mag nie lag, terwyl ....
2. As jy nie gou maak nie, ...
3. Ons kan jou nie help nie, omdat ....
4. My suster was baie bly, toe ....
5. Ek sal jou kom besoek, aangesien ....
6. Jou moeder sal kwaad wees, tensy ....
7. ...., want hy is nie 'n ryk man nie.
8. Kan jy my sê waarom ....
9. Ek het elke dag gehelp, nogtans ....
10. Sodra jy by die huis kom, ...

71

11. Hy wil sy huis verkoop, want ....
12. Ek sal jou help, alhoewel ....
13. Jy het te laat geslaap, dus ....
14. My oupa het my vertel dat ....
15. Ongelukkig kan ons julle vriendelike uitnodiging ni. aanneem nie, omdat ....

LES DRIE-EN-TWINTIG

COMPOUND ACTION-WORDS

Words are sometimes joined together to form compou~ action-words, such as **afslaan, aantrek, uittrek**, etc. In some cases th parts of these compounds are separated again.

Voorbeelde:
Slaan die lig **af** = *Switch* the light *off*.
My vriend **slaan** die lig **af**.
Hy sal die lig **afslaan**.
Hy het die lig **afgeslaan**.
Ek het hom gevra om die lig **af** te **slaan**.

Note.—If the emphasis falls on the **first part** of the compound word, the two parts are separated in the present and past tenses, and when used with **om te**. After the auxiliary action-words, *sal, sou, kan, ko* *wil, wou, moet, moes*, the compound is written as one word.

SOME SEPARABLE COMPOUNDS

oopmaak—to open
afhaal—take off
inkom—come in

Hy het die deur **oopgemaak**, sy hoed **afgehaal** en **ingekom**.

uittrek—take off
oprol—roll up

Daarna het hy sy baadjie **uitgetrek** en sy hempsmoue (shirt sleeves) **opgerol**.

optel—pick up
neersit—put down

Jy moet die boek **optel** en op die tafel **neersit**.

aantrek—put on (dress)
toemaak—close, shut
opsit—put on (hat)
opsteek—to light

Nadat hy sy jas **aangetrek** het, het hy die deur agter hom **toegemaak**, sy hoed **opgesit** en 'n sigaret **opgesteek**.

opkom—come up (rise)
ondergaan—go under (set)

Die son **kom** in die ooste **op** en gaan in die weste **onder**.

deurbring—spend (holiday)
uitgee—spend (money)

Hy **bring** 'n vakansie in die stad **deur** en **gee** baie geld **uit**. Die volgende vakansie sal hy op 'n plaas gaan **deurbring**, want dan sal hy nie so baie geld **uitgee** nie. Hy weet, want die vorige vakansie het hy daar **deurgebring** en min geld **uitgegee**.

ingaan—go in
uitgaan—go out

Klop voordat jy **ingaan**, anders sal jy baie gou weer moet **uitgaan**. Ek **gaan** nie vanaand **uit** nie.

aankom—arrive
weggaan—go away

Die man het vandag hier **aangekom** en **gaan** weer môre **weg**.

stilhou—stop (vehicle)
stilbly—stop (talking)
stilstaan—stand still

Hou stil, jy ry te vinnig! **Bly stil**, jy praat te veel! Ek het **stilgebly**, maar hy het **stilgehou**. **Staan stil**, of ek skiet! Hy wou nie **stilstaan** nie en ek het geskiet.

doodmaak—kill (make dead)
put out (light)

Die seun het die slang **doodgemaak**. Moenie die lig **doodmaak** nie, anders kan ek nie goed sien nie!

saamgaan—go with

Sy sal **saamgaan**, as jy haar vra. Ek **gaan saam**, wag vir my! Maar die meisie het nie **saamgegaan** nie.

saamneem—take with

Neem hierdie brief **saam**, asseblief.

saambring—bring with

Bring jou tennisraket **saam**, as jy kom. Hy het vergeet en het dit nie **saamgebring** nie.

saamwerk—work together

Ons het almal **saamgewerk** om die werk 'n sukses te maak.

saamsing—sing together
saampraat—speak together

Ons kan almal **saamsing**, maar nie **saampraat** nie!

uithaal—take (fetch) out

Hy het tien sent **uitgehaal** en dit vir die blinde man gegee.

uitvind—find out, invent

Ons het **uitgevind** wat die man se adres is. Wie het die draadloos **uitgevind**?

gelukwens—congratulate

Wens hom **geluk** met sy sukses. Al sy vriende het hom **gelukgewens**.

volmaak—fill

Maak die tenk **vol**, anders sal jy nie ver kan ry nie. Om die tenk **vol** te **maak**, kos geld. Hy het die tenk **volgemaak** en ver gery.

SOME INSEPARABLE COMPOUNDS

Note.—If the emphasis falls on the **last part** of the compound word, the two parts are never separated and the prefix **ge** is not used for the past tense form of the word.

Voorbeelde:

onderneem—undertake	**Onderneem** die werk.
	Dit is moeilik om so baie werk te **onderneem**.
	Hy **het** al die werk **onderneem**.
ondergaan—undergo	Die vrou **het** 'n operasie **ondergaan**.
ondersoek—investigate	Die polisie **het** die saak **ondersoek**.
ondermyn—undermine	Jy **ondermyn** jou gesondheid.
mislei—mislead	Omdat jy dit gesê het, het jy my **mislei**.
mishandel—ill-treat	Dit is nie mooi om die hond so te **mishandel** nie.
voltooi—complete	Ons het al die sinne **voltooi**.

LEESOEFENING

HENDRIK SE BRIEF AAN DIE STASIEMEESTER

Royal-hotel,
Durban.
12 *Augustus* 1973.

Die Stasiemeester,
Suid-Afrikaanse Spoorweë en Hawens,
Durban.

Geagte heer,

Gisteraand het ek met die vyfuur-trein van Ermelo af hier aangekom. Ongelukkig het ek my jas in die trein vergeet en ek sal bly wees as u my kan laat weet of ek dit weer sal kry. Dit is 'n dik bruin jas met my naam daarin. Die kompartement waarin ek gereis het, is nommer 1001 E.

Die uwe,

H. C. STEIN.

Note.
 (i) **Geagte heer**—*Dear Sir*—is used in all business and official letters.
 (ii) **U** for *you* or *your*, must always be used in the above type of letter, and when addressing seniors or strangers.
 (iii) **Die uwe** is used for the English *Yours faithfully*.

74

OEFENING 23

A. Skryf die stasiemeester se antwoord.

B. Gee die regte vorm van die byvoeglike naamwoord tussen hakies:

Jy moenie sulke (**duur**) vrugte koop nie. Ons het al die (**nodig**) boeke gekoop. Daardie (**jong**) seun ry op 'n (**goed**) perd. 'n Rewolwer is 'n (**veilig**) wapen. Die (**gelukkig**) kêrel het 'n prys gewen. Jy moet vir jou hierdie (**interessant**) boek bestel. Moenie voor die (**oop**) deur staan nie. In die (**pikdonker**) nag het hulle na hulle broer gaan soek. Wanneer het hulle die (**lang**) reis begin? Ek weet nie of ons daardie (**moeilik**) werk kan onderneem nie. Hy moes stilhou, want die (**haastig**) man wou saamgaan. Dit is beter om daardie (**wyd**) moue op te rol. Ons moes die (**arm**) kat doodmaak. Die (**siek**) vrou het gister 'n operasie ondergaan. Dink jy die kinders sal al daardie (**swaar**) boeke kan dra? Daardie (**vriendelik**) man het al die mense gegroet. Jy moenie op daardie (**hoog**) muur klim nie. As ons genoeg (**droog**) hout kry, kan ons vuur maak. Sy het haar (**nuut**) hoed opgesit, maar haar (**oud**) skoene aangetrek. Moet asseblief nie vir my sulke (**flou**) koffie gee nie. Die man het 'n (**goud**) horlosie in sy sak. Hoe laat vertrek die (**vroeg**) trein? Kan ek 'n pond (**vars**) botter kry asseblief? Die (**trots**) vader het sy (**slim**) seun gelukgewens. Gooi die melk in die (**leeg**) koppie. Op so 'n (**koud**) dag moet 'n mens (**warm**) klere aantrek.

C. Skryf die volgende sinne oor met die regte vorm van die vetgedrukte werkwoord:

Vanaand **oppas** my suster die kind. Gister het my broer die kind **oppas**, en môre sal ek die kind **oppas**. Hy **gelukwens** die student. Jy moet jou beste klere **aantrek**. In die winter **ondergaan** die son vroeër. **Optel** daardie papiere op die vloer. Hy het die deur vir die kind **oopmaak**. In 'n stad **uitgee** 'n mens baie geld. Waar het jy jou vakansie **deurbring**? **Saamneem** al hierdie vrugte vir jou moeder. Hoe laat het die son **opkom**? Ons sal nie so vroeg **weggaan** nie. Het hy sy hoed **opsit** toe hy **uitgaan** het? Wanneer **aankom** ons op Bloemfontein? Hy sal die deur **toemaak** as hy **uitgaan**. **Uitvind** wie die geld gesteel het. Dit is nie moeilik om met hom te **saamwerk** nie. Dit is nie goed genoeg om die man so te **mislei** nie. Dit sal beter wees as julle almal **saamsing**. Dink jy hulle het al die werk **onderneem**? **Afhaal** jou hoed vir daardie dame. **Opstaan** sodra die onderwyser **inkom**. Hy het die koerant **neersit** en sy moue **oprol**. Sy moes 'n groot operasie **ondergaan**. Moenie so bang wees nie, die dokter sal jou nie **doodmaak** nie. **Uithaal** jou geld sodat ek kan sien hoeveel jy **uitgee** het.

WOORDESKAT

1. *Ekskuus*, wat het u gesê?	*pardon*
2. *Verskoon* my asseblief, ek moet my vriend gaan bel.	*pardon, excuse*
3. Neem die bottel en *gooi* die water *daarin*.	*throw, therein (in it)*
4. Dit is die bottel *waarin* die wyn was.	*wherein (in which)*
5. Daar is 'n *fout* in die sin.	*mistake*
6. Die twee vriende het *mekaar* gegroet.	*each other*
7. Hy het 'n *kissie* appels op die mark gekoop.	*box*
8. Ek het my *dosie* vuurhoutjies op die tafel laat lê.	*box*
9. Is hierdie vuurhoutjies *joune* of *myne*?	*yours, mine,*
Nee, dit is nie *ons s'n* nie, dit is *hulle s'n*.	*ours, theirs*
Sy het *hare* in haar kamer laat lê en hy het	*hers*
syne in sy sak.	*his*
10. Die mense *wie se* huistaal Engels is, noem	*whose*
ons *Engelssprekendes*.	*English speaking*
11. *Wie se* boek is dit? *Wie s'n* is dit?	*whose?*
12. As jy Engels en Afrikaans kan praat, dan is jy *tweetalig*.	*bilingual*
13. Is jy my vriend of my *vyand*?	*enemy*
14. Ek skryf met 'n *vulpen* of 'n *potlood*.	*fountain-pen, pencil*
15. Na die oorlog sal ons weer *vrede* hê.	*peace*
16. Dan kan die mense weer baie vis *vang*.	*catch*
17. *Vertaal* hierdie brief asseblief.	*translate*
18. In my *private* kamer wil ek *privaat* wees.	*private*
19. *Volg* my en loop *verby*.	*follow, past*
20. *Kam* jou hare, daar is die *kam* en *borsel*.	*comb, brush*
21. Ek wil my hande en *gesig was*, maar daar is geen *seep* en *handdoek* in die kamer nie.	*face, wash* / *soap, towel*
22. Wie *maak* jou skoene *skoon*? Ek moet myne self *skoonmaak*.	*to clean*
23. Ek is *seker* die ander kêrel sal ook daar wees, dus moet jy nie *jaloers* wees nie.	*sure, certain* / *jealous*
24. Vir daardie kêrel met die lang *nek*, rooi *neus* en groot *ore* sal ek nie bang wees nie.	*neck,* / *nose, ears*
25. Wag vir my, ek is nog nie *klaar* nie!	*ready, finished*
26. Ek gaan eers 'n *pakkie* sigarette koop.	*packet*

76

Remember:

Never use a preposition before **dit** or **wat**.

Preposition + **dit** becomes **daar** + preposition.

Preposition + **wat** becomes **waar** + preposition.

e.g. **in dit** becomes **daarin**.

van dit becomes **daarvan**.

in wat becomes **waarin**.

op wat becomes **waarop**.

LEESOEFENING

WILLEM SE BRIEF AAN MENEER EN MEVROU WESSELS

Musgraveweg 212,

Durban.

12 *Augustus* 1973

Geagte meneer en mevrou Wessels,

Baie dankie vir die lekker biltong wat u vir my gestuur het. Dit is so lekker, dat my susters nou ook geleer het om biltong te eet. U vriendelikheid en die aangename vakansie op die plaas sal ek nie gou kan vergeet nie. U moet probeer om vir ons te kom besoek, sodat ek 'n kans kan kry om u terug te betaal vir alles wat u vir my gedoen het.

Hendrik Steyn van Ermelo is nou vir 'n paar dae hier en ons praat dikwels van u en die ander gawe mense wat ek in Transvaal ontmoet het. Hendrik het net betyds hier gekom om my reg te help. In die verlede het ek altyd "jy" en "jou" gebruik wanneer ek met u gepraat of aan u geskryf het. Verskoon my asseblief, want ek het nie beter geweet nie. Hendrik sê dat 'n mens dit nooit in Afrikaans doen as jy met ouer mense of vreemdelinge praat nie. Ek sal dit onthou en nooit weer die fout maak nie.

Baie dankie vir u vriendelike uitnodiging om weer aanstaande jaar my vakansie op die plaas te kom deurbring. Dit sal baie goed wees as die Afrikaanssprekendes en die Engelssprekendes mekaar meer dikwels besoek, want dan sal hulle mekaar beter leer ken en verstaan.

Aanstaande week sal ek vir u 'n kissie piesangs en pynappels stuur en ek hoop die vrugte sal vir u net so lekker wees as die biltong vir my is.

Groete aan u en die ander vriende,

U vriend,

WILLEM.

Note.—When writing to somebody deserving of respect due to age or position, **Geagte** is used for the English *Dear*.

NUTTIGE VOORSETSELS—USEFUL PREPOSITIONS

dink aan—think of (remember)
Die moeder *dink aan* haar seun wat so ver van die huis af is.

dink van—think of (opinion)
Wat *dink* jy *van* daardie man?

hang aan—hang on
Die vrugte *hang aan* die boom.
Die portret *hang aan* die muur.

klop aan—knock at
Klop aan die deur voordat jy ingaan.

skryf aan—write to
Hy *skryf* 'n brief *aan* sy vriend.

stuur aan—send to
Ek sal die boek *aan* die prinsipaal *stuur*.

behoort aan—belong to
Daardie vuurhoutjies *behoort aan* my.

kyk na—look at
Kyk na die lig wat daar brand.

look after
Kyk na my motor asseblief, ek sal gou weer terugkom.

lyk na—look like (resemble)
Die kind *lyk na* sy vader.
Die weer *lyk na* reent.

luister na—listen to
Elke aand *luister* hy *na* die nuus.

soek na—look for
Hy *soek na* die jas wat hy verloor het.

verlang na—long for
Die kinders *verlang na* hulle moeder.

gaan na .... *toe*—go to
Gaan na die poskantoor *toe*.

kom na .... *toe*—come to
Kom na my *toe*. *Kom* jy *na* die konsert *toe*?

kom by—come to (arrive at)
As jy voor my *by* die stasie *kom*, moet jy vir my wag.

bang vir—afraid of
Hy is baie *bang vir* die polisie.

gee vir—give to
Gee die geld *vir* die arm mense.

kwaad vir—cross with
Ek is *kwaad vir* hom, omdat hy nie wil luister nie.

lief vir—fond of
Die vader is baie *lief vir* sy seun.

lag vir—laugh at
Moenie *vir* my *lag* nie!

skaam vir—shy (of)
Ek is *skaam vir* jou, daarom wil ek nie Afrikaans praat nie.

skaam oor—ashamed of
Hy is *skaam oor* die foute wat hy gemaak het.

praat met—speak to
Praat met hom, hy sal na jou luister. Hy

speak with
praat met 'n lelike aksent.

gelukwens met—congratulate on
Ek *wens* jou *geluk met* jou sukses.

bly oor—pleased about
Ons is baie *bly oor* jou sukses.

kla oor—complain about
Die mense *kla oor* die hoë pryse.

praat oor—talk about
Hulle *praat oor* die nuus.

praat van—speak of
Ons het baie goed *van* hom *gepraat*. *Praat van* die duiwel!

hou van—to like
Ons *hou van* die nuwe prinsipaal.

trots op—proud of
Ons is *trots op* ons land.

jaloers op—jealous of
Daardie meisie is *jaloers op* my suster.

78

OEFENING 24

A. Beantwoord die volgende vrae:

1. Waarom het Willem gesê: "Verskoon my asseblief"?
2. Wie is die kêrel wat Willem in Transvaal ontmoet het en wat sê hy van hom?
3. Wat sê Willem, hoe sal die mense in hierdie land mekaar beter leer verstaan?
4. Wat sal hy vir meneer en mevrou Wessels stuur?
5. Wanneer gebruik 'n mens "jy", "jou" en "u"?
6. Wat sê Willem van die biltong?
7. Watter dorp noem Willem in sy brief?
8. Waar groei piesangs en pynappels, en waarom nie in al die dele van die land nie?
9. Van wie praat Willem en sy vriend so dikwels?
10. Waarom wil Willem die man en vrou terugbetaal?

B. Skryf 'n brief aan 'n vriend waarin jy hom vertel van 'n vakansie wat jy op 'n plaas deurgebring het.

C. Verbind die volgende sinne met die voegwoorde tussen hakies:

1. Jy het nie gekom nie. Ek het jou geroep.   (toe)
2. Ons het almal gehoop. Hy sou met daardie vulpen tevrede wees. (dat)
3. Ek sal sonder die flits na die kafee toe loop. Dit is nie te donker nie. (as)
4. Ek sal sonder die flits na die kafee toe loop. Dit is nie te donker nie. (tensy)
5. Die son was al onder. Ons het in die stad gekom.   (toe)
6. Sy twee seuns moes onder die boom wag. Hulle vader het laat die aand van sy vriend af teruggekom.   (totdat)
7. Ek het die goeie nuus gehoor. Ek het die vakansie by my oom op die plaas deurgebring.   (terwyl)
8. Ongelukkig kan hy nie al die boeke koop nie. (want) Dit sal te veel geld kos.   (nogtans)   Hy hoop om later sy eie private biblioteek te hê.
9. My neef het gevra. Al die mense in hierdie provinsie is tweetalig. (of)
10. Die onderwyser het die leerlinge gevra.   (waarom)   Hulle het so gelag.   (toe)   Hy het by die deur ingekom.
11. 'n Mens moet altyd eers goed dink. Jy sê of skryf iets.   (voor)
12. Ek sal jou verskoon.   (omdat)   Ek is nie seker nie.   (of)   Jy het in die kamer gerook

13. Jy moet my dadelik roep. (sodra) Jy is met al die werk klaar.
14. Hy moet voel. Hy het nie ore om te hoor nie. (as)
15. Hulle kon nie betyds in die eetkamer wees nie. (omdat) Daar was geen seep of handdoek in die badkamer nie. (en) Hulle moes eers was. (omdat) Hulle hande en gesigte was na die lang reis so vuil.

D. Vul die regte voorsetsel in:

1. Hy voel skaam .... die lelike woord wat hy gebruik het.
2. Moenie .... my kwaad wees nie.
3. Elke week skryf sy .... haar ouers.
4. Ons dink niks .... daardie kêrels nie.
5. Sy vriende was baie bly .... die goeie nuus.
6. Dit is 'n plesier om .... sulke mooi musiek te luister.
7. Toe ons .... die huis kom, was hy nie daar nie.
8. Sy het gesê dat sy my .... tienuur sal ontmoet.
9. Sal jy die sakdoek .... my suster gee?
10. Daar hang baie ryp vrugte .... die boom.
11. My moeder stuur die Bantoe elke dag .... die slagter toe.
12. Die seun het .... die perd afgeval.
13. Vanaand dink ons weer .... al ons ou vriende.
14. Daar kom my vriend .... die hoek.
15. Ek is nie bang .... daardie man nie.
16. Ons is baie trots .... ons land.
17. Wie het so hard .... die deur geklop?
18. Bestel die boeke en sê hulle moet hulle .... my stuur.
19. Ons verlang baie .... ons broer wat in Europa is.
20. Die onderwyser het hom .... sy groot sukses gelukgewens.
21. Moenie altyd .... die werk kla nie.
22. Hulle almal hou .... so 'n aangename klimaat.
23. Ek is baie lief .... my oom en tante.
24. Hy het baie lank .... sy potlood gesoek.
25. Praat Afrikaans, en moenie .... die ander mense skaam wees nie. Hulle sal nie .... jou lag nie.
26. Wag 'n bietjie ou kêrel, daardie vuurhoutjies behoort .... my.
27. Daardie twee kinders is baie jaloers .... mekaar.
28. As ek .... jou praat moet jy luister.
29. Ek kan nie .... 'n woordeboek alles verstaan wat ek lees nie.
30. Hulle woon .... ons, dus kan jy maklik daarheen loop.
31. As jy .... ons twee loop, sal niemand jou seermaak nie.
32. Staan .... die deur, sodat hy jou nie kan sien nie.
33. Wag eers 'n rukkie, dan kan jy .... my ingaan, want ek was .... jou hier.
34. Ons kry .... drie weke 'n lang vakansie.
35. Moenie so .... my staan en kyk nie.

E. Vul die regte voornaamwoord in:

1. Daar loop die man **whose** vrou gister weg is.
2. Daardie seun en **his** suster het **each other** gesoen.
3. **What** jy gesê het, is nie waar nie.
4. Daar lê 'n boek op die tafel. **Whose** is dit?
5. Die kamer **in which** jy sit is te donker.
6. **Who** het nie die regte betekenis geken nie?
7. Is **this** pen **yours**? Nee, dit is nie **mine** nie, maar ek dink dit is **Bettie's**, want sy het **hers** verloor. Ek weet dit is nie **John's** nie, omdat hy **his** in **his** sak het.
8. **All these** beeste is my **uncle's**, maar môre sal ek vir **you ours** wys. **Our** beeste is mooier as **yours**, want julle veld is nie so goed as **ours** nie.
9. Die vyand het met al **their** skepe vertrek, omdat **they** weet dat **our** vloot nie vir **theirs** bang is nie.
10. Daar is die bad warm water. Hou jou voete **in it**.
11. **These** koerante is nie **ours** nie. **Whose** is hulle? Vriende, is hulle nie **yours** nie?
12. Piet het **his** les goed geken, maar Jan het **his** nie geleer nie. As hy na Annie geluister het, sou hy **his** net so goed geken het as sy **hers**. Gelukkig het ek **mine** geken.

AFRIKAANS WORDS USED IN THE TWENTY-FOUR LESSONS

A

aan	on	alfabet	alphabet
aand	evening	alhoewel	although
aangesien	seeing that	alles	everything
aangenaam	pleasant	almal	all, everybody
aankom	to arrive	altyd	always
aanneem	to accept	ambisie	ambition
aanslaan	to switch on	ander	other or others
aanstaande	next	anders	otherwise
aantrek	to put on (dress)	antwoord	answer
aap (ape)	monkey	appel	apple
admiraal	admiral	applikant	applicant
adres	address	arm	arm, poor, pitiable
af	off	artikel	article
afhaal	to take off	as	as, if, when
Afrikaans	Afrikaans	asbakkie	ash-tray
Afrikaner	South African	asof	as if
afslaan	to switch off	asseblief	please
ag	eight	assistent	assistant
agste	eighth	atlas	atlas
agter	behind, slow	atmosfeer	atmosphere
agtien	eighteen	Augustus	August
aksent	accent		
al	all, already		

B

baadjie	jacket, coat	betaal	to pay
baai	bay	beteken	to mean
baard	beard	betekenis	meaning
bad	bath	betyds	in time
badkamer	bathroom	biblioteek	library
bagasie	luggage	bier	beer
baie	many, much, very, plenty	bietjie	little
		biltong	sun-dried meat
bak	to bake	bind	to bind, to fasten
bakker	baker		
balans	balance	binne	in, inside
band	tyre	binnekort	soon, before long, shortly
bang	afraid, frightened		
		bioskoop	bioscope
bank	bank	bitter	bitter
battery	battery	blind	blind
beantwoord	to answer (question or letter)	blou	blue
		bly	glad, pleased
		bobbejaan	baboon
bed	bed	boek	book
bedank	to thank	boer	farmer, to farm
bediende	servant, waiter	bom	bomb, shell
bedoel	to mean	boom (bome)	tree(s)
been	leg	boordjie	collar
beeste	cattle	bord	plate
begin	begin	borsel	brush
behoort aan	belong to	bos (bosse)	forest, bush
bekend	known	bottel	bottle
bel	to ring (telephone)	botter	butter
		bou	to build
belangrik	important	brand	to burn
berg	mountain	breed (breë)	broad
besig	busy	brief (briewe)	letter(s)
besluit	to decide	bril	spectacles, eye-glasses
besoek	to visit		
besoeker	visitor	broek	trousers
bespreek	to reserve, to book	broer	brother
		brood	bread
bespreking	booking, reservation	bruin	brown
		bus	bus
beste	best, dear	by	at
bestel	to order	byna	almost
bestuurder	driver		

D

daar	there	dans	dance
daardie	that, those	dapper	brave
daarheen	there (thither)	das	tie
daarin	therein, in it	dat	that
daarna	after that	datum	date
daarom	therefore	deel	to divide
daarvan	thereof, of it	derde	third
dadelik	immediately	dertien	thirteen
dag (dae)	day(s)	Desember	December
dam	dam	deur	door
dame	lady	deurbring	to spend (a holiday)
dan	then		
dankie	thank you	die	the

dief	thief	*doodmaak*	to kill, to put out
diep	deep	*doof (dowe)*	deaf
dier	animal	*doring*	thorn
dieselfde	the same	*dorp*	village, town
dik	thick	*dors*	thirsty
ding (dinge)	thing (s)	*dosie (vuurhout-*	box
dink	to think	*jies)*	(of matches)
Dinsdag	Tuesday	*dosyn*	dozen
distrik	district	*dra*	to wear, to carry
dit	it, this	*draadloos*	wireless
doen	to do	*drie*	three
dogter	daughter	*drink*	to drink
dokter	doctor	*droog (droë)*	dry
dom	stupid, dull,	*duim*	inch, thumb
	dense	*duisend*	thousand
Donderdag	Thursday	*dun*	thin
donker	dark	*dus*	thus
dood	dead	*duur*	expensive, dear

E

een	one	*en*	and
eers	at first	*end*	end
eerste	first	*Engels*	English
eet	to eat	*Engelsman*	Englishman
eetkamer	dining-room	*Engelse*	English (plural)
eie	own	*Engelssprekend*	English-speaking
eienaar	owner, proprietor	*erken*	to acknowledge
eier	egg	*esplanade*	esplanade
ek	I	*ete (etes)*	meal(s)
ekskuus	pardon	*Europa*	Europe
elf	eleven	*Europese*	European (adj.)
elke	each, every		

F

familie	family	*fout*	fault, mistake
Februarie	February	*Frankryk*	France
flits	torch	*Frans*	French (language)
flou	weak (tea, etc.)	*Franse (die)*	French (the)
fort	fort, fortress	*Fransman*	Frenchman
foto	photo		

G

gaan	to go	*gesels*	to chat, to talk
gat (gate)	hole(s)	*gesig*	face
gawe	fine	*gesond*	healthy
gebeur	to happen	*gevaar*	danger
gebou	building	*gewoonlik*	usually
gebruik	to use	*gister*	yesterday
gee	to give	*glas (glase)*	glass(es)
geel	yellow		tumbler(s)
geen	no	*glo*	to believe
geld	money	*goed*	good, well,
gelede	ago		all right
gelukkig	happy, lucky	*goeie*	good
gelukwens	to congratulate	*goed*	stuff, things
generaal	general (military)	*goedkoop*	cheap
geniet	to enjoy	*gooi*	to throw
genoeg	enough	*gou*	soon, quick

goud	gold	groente	vegetables
grammofoon-plaat	gramophone record	groep(e)	group(s)
gras	grass	groet	to greet
grens	border, boundary	groete	regards
groei	to grow	grond	ground
groen	green	groot	great, big
		grootte	size, area

H

haai	shark	hoe	how
haal	to fetch	hoë	high
haar	her	hoed	hat
haastig	in a hurry	hoek	corner
hare	hair, hers	hoender	fowl
haarkapper	hairdresser, barber	hoeveel	how many, how much
half (halwe)	half		
hand	hand	hom	him
handdoek	towel	honderd	hundred
hard	hard	honger	hungry
hardloop	to run	hoofstraat	main street
hardop	aloud	hoop	to hope, heap
hawens	harbours, ports	hoor	to hear
hê	to have	horlosie	watch, clock
helfte (die)	half (the)	hotel	hotel
help	to help	hou van	to like, to be fond of
hemp (hemde)	shirt(s)		
hen	hen	hou	to keep
herken	to recognise	huil	to cry
het	have, has	huis	house
heuwel	hill	hulle	they, their, them
hier	here	hulle s'n	theirs
hierdie	this, these	hut	hut
hierheen	hither, here, this way	huurmotor	taxi
		hy	he
hiervandaan	from here		

I

iemand	somebody	inkom	to come in
iets	something	intelligent	intelligent
in	in, into	interessant	interesting
Indiër(s)	Indian(s)	is	is, are
ingaan	to go in	Italië	Italy
ink	ink	Italianer(s)	Italian(s)

J

ja	yes	joune	yours (singular)
jaar	year	Julie	July
jaloers	jealous	julle	you, your (plur.)
Januarie	January	julle s'n	yours (plural)
jas	overcoat	Junie	June
jong, jonk	young	junior	junior
jou	you, your	jy	you (singular)

K

Kaapprovinsie	Cape Province	kalm	calm
Kaapstad	Cape Town	kam	comb
kafee	café	kamer	room

kamp	camp		koerant	newspaper
kan	can, to be able		koffie	coffee
kanon	cannon		kom	to come
kans	chance		kombers	blanket
kanselleer	to cancel		kombuis	kitchen
kantoor	office		kompartement	compartment
kaptein	captain		kon	could
karakter	character		konvooi	convoy
keel	throat		kook	to cook, to boil
ken	to know		koop	to buy
kêrel	fellow		koor	chorus, choir
ketel	kettle		kopie	copy
kind(-ers)	child(ren)		koppie	cup
kissie	box		korporaal	corporal
kla	to complain		kort	short
klaar	ready, finished		kos	to cost, food
klas	class		koud (koue)	cold
klavier	piano		kous(e)	stocking, sock
klein	small		kry	to get, to receive
kleingeld	small change		kus	coast
klere	clothes		kwaad	cross
klim	to climb		kwaliteit	quality
klimaat	climate		kwart	quarter
kloof (klowe)	kloof(s)		kwartaal	quarter (three months)
klop	knock			
knip	to cut		kwartier	quarter (of an hour)
koei	cow			
koek	cake		kyk na	to look at
koel	cool			

L

laag (lae)	low		letter	letter (of alphabet)
laaste	last			
laat	to let, to allow, late, to make		lewe	to live, life
			lewendig	alive
lag	to laugh		lied(-ere)	song(s)
lamp	lamp		lief vir	fond of
land	to land, country, land, field		liefde	love
			lig	light
lang, lank	long		links	left
lantern	lantern		Londen	London
later	later		long	lung
lê	to lay, to lie down		loop	to walk, to run
			los	loose
leeg (leë)	empty		lug	air
leer	to learn		lui	lazy
lees	to read		luister	to listen
leeu	lion		luitenant	lieutenant
lekker	nice, delicious		lyk na	to look like, resemble
lepel	spoon			
les	lesson		lys	list
let wel	note well			

M

ma	mother		maar	but
maak	to make, to do		Maart	March
maal	times		maer	lean, thin
maand	month		mag	may
Maandag	Monday		mak	tame

85

makeer (wat)	is the matter (what)	miljoen	million
maklik	easy	min	little
mamba	mamba (snake)	min, minus	minus
man	man, husband	minister	minister (of state)
manier	manner	mishandel	to ill-treat
mark(-te)	market(s)	mislei	to mislead
masjien	machine	modern	modern
mat	mat	moeder	mother
meer	more	moeg (moeë)	tired
meeste	most	moeilik	difficult
meester	master	moenie	don't
Mei	May	moes	had to
meisie	girl	moet	must, have to
mejuffrou	Miss	mond	mouth
mekaar	each other, one another	monument	monument
melk	milk	mooi	pretty, fine
meneer	Mr., Sir	môre	morning, to-morrow
mens	person	motor	motor car
mense	people	motorband	motor car tyre
mes	knife	musiek	music
met	with	muur	wall
mevrou	Mrs., Madam	my	my
middag	midday, noon	myn (goudmyn)	mine (gold mine)
middel	middle, centre	myne	mine (possessive)
mielie	mealie		

N

'n	a, an	net	just, only
na	after, to, towards	neus	nose
naam	name	nie	not
naand	good evening	niemand	nobody
naaste	nearest	niggie	niece, cousin
naby	near	niks	nothing
nadat	after	nodig	necessary
nader	nearer	noem	to name, to call, to mention
nag	night		
nat	wet	nog nie	not yet
natuurlik	naturally, of course	nogtans	nevertheless
nee	no	nommer	size, number
neef	nephew, cousin	nooit	never
neem	to take	noord	north
neëntig	ninety	noot	note
neersit	to put down	normaal	normal
nege	nine	nou	now, narrow
nek	neck	November	November
nêrens	nowhere	nuus	news
		nuut, nuwe	new

O

oefening	exercise	omdat	because
of	or, whether	onaangenaam	unpleasant
offisieel	official	onder	under
offisier	officer	ondergaan	to undergo, to go under, to set
Oktober	October		
olifant	elephant	onderhemp	vest
om	round, at, to	ondermyn	undermine

onderneem	to undertake	op	on
ondersoek	to investigate	open	to open
onderwyser	teacher		(a meeting)
ongelukkig	unlucky,	ophou	to stop (talking)
	unhappy,	opkom	to come up (rise)
	unfortunately	oppas	to look out, to
oninteressant	uninteresting		be careful
ons	we, us, our	opponent	opponent
onthou	to remember	oprol	to roll up
ontmoet	to meet	opsit	to put on
ontvang	to receive	opstaan	to get up
onvriendelik	unfriendly	opsteek	to light
oog (oë)	eye(s)	optel	to pick up
ook	also	Oranje-Vrystaat	Orange Free
oom	uncle		State
oop	open	orde	order
oopmaak	to open	organisasie	organisation
oor	over	orkes	orchestra, band
oor (ore)	ear(s)	ou, oud	old
oorlog	war	ouma	grandmother
oos	east	oupa	grandfather
Ooste (die)	East (the)		

P

pa	father	plesier	pleasure
paar	pair, couple, few	plus	plus
pad (paaie)	road(s)	polisie	police
pakkie	packet	pond	pound
palm	palm	portret	portrait
papier	paper	port (wyn)	port (wine)
pardon	pardon	pos	post
park	park	poskantoor	post office
party	party	posseël	postage stamp
Parys	Paris	pot	pot
pas op!	look out!	potlood	pencil
pen	pen	praat	to speak, to talk
peper	pepper	present	present, gift
per	per, by	president	president
perd	horse	presies	precisely,
permit	permit		exactly
persoon	person	prinsipaal	principal (of a
petrol	petrol		school)
piano	piano	privaat, private	private
piesang	banana	produk(-te)	product(s)
pikdonker	pitch dark	produseer	to produce
plaas	farm	professor(-e)	professor(s)
(in plaas van)	(instead of)	program	programme
plaaslewe	farm life	propaganda	propaganda
plaat	record (gramo-	provinsie	province
	phone)	prys	price, prize
plan	plan, idea	pyn	pain
plank	plank	pynappel	pineapple
plant	plant	pyp	pipe
plato	plateau		
plek	place, accom-		
	modation		

R

radio	radio	rand	ridge
raket	racket	rebel	rebel

87

reën, reent	rain	rooi	red
reg	right	rook	smoke
reis	journey	room	cream
renoster	rhinoceros	rubber	rubber
Republiek	Republic	rukkie	while, moment
restaurant	restaurant	rus	rest
ring	ring	ry	to ride, to drive
rivier	river	ryk	rich
roep	to call	ryp	ripe
rol	roll, rôle, part		

S

saak	matter	skaars	scarce
saam	together, with	skeer	to shave
saambring	to bring (with)	skeermes	razor
saamgaan	to go (with), to accompany	skêr	scissors
		skerp	sharp
saamneem	to take (with)	skiet	to shoot
saampraat	to speak to-gether	skip (skepe)	ship(s)
		skoen	shoe
saamsing	to sing together	skool	school
saamwerk	to co-operate	skoon	clean
saans	in the evening	skoonmaak	to clean
sag (sagte)	soft	skryf	to write
sak	pocket	skyn	to shine
sakdoek	handkerchief	slaap	sleep
sal	shall, will	slaapkamer	bedroom
sand	sand	slag	to slaughter, to kill
Saterdag	Saturday		
se (Jan se hoed)	's (John's hat)	slagter	butcher
s'n (Jan s'n)	's (John's)	slang	snake
sê	to say, to tell	sleg (slegte)	bad
see	sea	slim	clever
seep	soap	smaak	to taste
seer	sore	snaaks	funny
seisoen	season	snags	at night
seker	sure, certain	sny	to cut
selde	seldom	so	so
self	self	so 'n	such a
senator	senator	sober	sober
senior	senior	sodat	in order that
September	September	sodra	as soon as
ses	six	soek na	to look for
sesde	sixth	soet	sweet
sestien	sixteen	sofa	sofa
seun	son, boy	solo	solo
sewe	seven	somer	summer
sewentien	seventeen	somerklimaat	summer climate
sewentig	seventy	soms	sometimes
siek	sick	son	sun
sien	to see	Sondag	Sunday
sigaret	cigarette	sonder	without
silwer	silver	soort	sort, kind
sin	sentence	soos	as, like
sing	to sing	sop	soup
sink	to sink	sou	would
sit	to sit	sout	salt
sitkamer	sitting-room	speel	to play
sitplek	seat	spek	bacon
skaam	shy, ashamed	spens	pantry
skaap	sheep	spoorweë	railways

spring	to jump
springbok	springbok
spyt	sorry
stad (stede)	town(s), city(s)
stadig	slow, slowly
stadsaal	town hall
staan	to stand
standbeeld	statue
stasie	station
stasiemeester	station master
steek	to put
sterk	strong
stil	still, quiet, silent
stilbly	to keep quiet
stilhou	to stop
stilstaan	to stand still
stoel	chair
stoep	stoep
storie	story
storm	storm

stout	naughty
straat	street
strand	beach
student	student
stuk	piece
stuur	to send
subtropiese	subtropical
suid	south
Suid-Afrika	South Africa
suiker	sugar
suikerriet	sugar-cane
sukses	success
sulke	such
surplus	surplus
swaar	heavy
swak	weak
swart	black
swem	to swim
sy	she, his
syne	his
sypaadjie	pavement

T

taal	language
taamlik	fairly
tabak	tobacco
tafel	table
Tafelbaai	Table Bay
tagtig	eighty
tante	aunt
te	too
tee	tea
teken	sign
tel	to count
telefoon	telephone
telegram	telegram
teller	teller
tenk	tank
tennis	tennis
tensy	unless
tent	tent
terminus	terminus
terug	back
terwyl	while
tevrede	satisfied

tien	ten
tiende	tenth
tjek	cheque
toe	1. shut, closed
	2. when
toemaak	to close
toeris(-te)	tourist(s)
tog	yet
tong	tongue
totdat	until
tot siens	good-bye
trein	train
trek	to strike (match)
trots	proud
tuin	garden
tussen	between
twaalf	twelve
twee	two
tweede	second
tweetalig	bilingual
tyd	time

U

u	you, your
uit	out, from
uitgaan	to go out
uitgee	to spend (money)
uithaal	to take out
uitkom	to come out
uitnodiging	invitation
uitnooi	to invite

uitskryf	to write out
uitspraak	pronunciation
uittrek	to take off, undress
uitvind	to find out, invent
uur	hour
uwe (Die uwe)	yours (faithfully)

89

V

vader	father	vliegmasjien	aeroplane
vakansie	vacation, holiday	vloot	fleet
		voel	to feel
val	fall	voet	foot
vallei	valley	vol	full
vals	false	volg	to follow
van	from, of	volkslied	national anthem
vanaand	this evening	volksliedjie	folk-song
vandag	today	volmaak	to fill
vang	to catch	voltooi	to complete
vanjaar	this year	voor	before, in front of, fast (watch)
vanmiddag	this afternoon		
vas	fixed, firm	voorbeeld	example
veertien	fourteen	voordat	before
veertig	forty	voormiddag (vm.)	forenoon (a.m.)
veilig	safe, safely	Voortrekker	Voortrekker, pioneer
veg	to fight		
ver	far	vordering	progress
verby	past	vorige	previous
vergeet	to forget	vorm	form
verkeerd	wrong	vra	to ask
verkoop	to sell	vraag (vrae)	question(s)
verlang na	to long for	vrede	peace
verlede (week)	last (week)	vreemdeling	stranger
verloor	to lose	vriend	friend
vers	verse	vriendelik	kind, friendly
verskil	difference	vriendelikheid	kindness
verskoon	to excuse, pardon	vrou	woman, wife
		vrug(-te)	fruit
verstaan	to understand	Vrydag	Friday
vertaal	to translate	Vrystaat	Free State
vertrek	to leave, depart	vuil	dirty
vet	fat	vulpen	fountain-pen
vier	four	vurk	fork
vierde	fourth	vuurhoutjie	match
vind	to find	vyand	enemy
vinger	finger	vyf	five
vinnig	fast, quick(ly)	vyfde	fifth
vir	for, to	vyftien	fifteen
vis	fish	vyftig	fifty
vlag (vlae)	flag(s)		
vleis	meat		

W

waai	to blow (wind)	warmer	warmer
waar	where, true	was	was, to wash
waarheen	where, whither	wat	what, who, which, that
waarin	wherein, in which		
		watter	which
waarom	why	week	week
waarskuwing	warning	weer	weather, again
wag	to wait	wees	to be
wakker	awake	weet	to know
walvis	whale	weg	away, road
wanneer	when, whenever	weggaan	to go away
want	for, because	welkom	welcome
wapen	weapon	wen	to win
warm	warm, hot	wens	wish

90

wêreld	world	*wit*	white
werk	work	*Woensdag*	Wednesday
wes	west	*wol*	wool
weste (die)	west (the)	*wolf*	wolf
wet	law	*wond*	wound
wie	who, whom	*wonder*	wonder
wie se	whose	*woon*	to reside, to live
wie s'n	whose	*woonhuis*	dwelling
wiel	wheel	*woord*	word
wil	want to	*word*	to become, to
wild	wild		get
wildtuin	game reserve	*wou*	wanted to
Willem	William	*wyd*	wide
wind	wind	*wyn*	wine
winkel	shop, store	*wys*	to show
winter	winter	*wysie*	tune
winterklimaat	winter climate		

Y

ys	ice	*yskoud*	ice-cold

Z

Zoeloe	Zulu	*Zoeloeland*	Zululand
Zoeloedans	Zulu dance		

ENGLISH–AFRIKAANS LIST

A

a, an	'n	*angry*	kwaad
about	omtrent	*animal*	dier
above	bo	*answer*	antwoord,
accent	aksent		beantwoord
accommodation	plek	*anthem*	volkslied
address	adres	*(national)*	
admiral	admiraal	*apple*	appel
afraid	bang	*applicant*	applikant
Afrikaner	Afrikaner	*April*	April
after	na	*arm*	arm
afternoon	namiddag	*arrive*	aankom
again	weer	*article*	artikel
ago	gelede	*as*	as, soos
air	lug	*ashamed*	skaam
all	al, almal	*ash-tray*	asbakkie
almost	byna	*ask*	vra
aloud	hardop	*at*	by
already	al	*atmosphere*	atmosfeer
also	ook	*at once*	dadelik
although	alhoewel	*August*	Augustus
always	altyd	*aunt*	tante
ambition	ambisie	*awake*	wakker
and	en	*away*	weg

B

baboon	bobbejaan	*baker*	bakker
back	terug	*balance*	balans
bad	sleg	*banana*	piesang
bake	bak	*band*	orkes

bank	bank	bomb	bom
bath	bad	book	boek
battery	battery	border	grens
bay	baai	bottle	bottel
beach	strand	boundary	grens
because	omdat, want	box	kissie, dosie
bed	bed	boy	seun
bedroom	slaapkamer	brave	dapper
before	voordat, voor	bread	brood
begin	begin	bright	helder
behind	agter	bring	bring
believe	glo	broad	breed
belong	behoort	brother	broer
best	bes, beste	brown	bruin
better	beter	brush	borsel
between	tussen	build	bou
big	groot	building	gebou
bilingual	tweetalig	burn	brand
bioscope	bioskoop	bush	bos
bitter	bitter	busy	besig
black	swart	but	maar
blanket	kombers	butcher	slagter
blind	blind	butter	botter
blow	waai	buy	koop
blue	blou	by	by
boil (to)	kook		

C

café	kafee	class	klas
cake	koek	clean	skoon
call	roep, noem	cleanse	skoonmaak
calm	kalm	clever	slim
camp	kamp	climate	klimaat
can	kan	climb	klim
cancel	kanselleer	clock	horlosie
cane	riet	close to	naby
cannon	kanon	clothes	klere
Cape Town	Kaapstad	coffee	koffie
captain	kaptein	cold	koud, koue
carry	dra	collar	boordjie
catch	vang	come	kom
cattle	beeste	complain	kla
centre	middel	complete (to)	voltooi
certain (-ly)	seker(lik)	cook (to)	kook
chair	stoel	cool	koel
chance	kans	corner	hoek
character	karakter	corporal	korporaal
chat	gesels	cost	kos
cheap	goedkoop	count (to)	tel
cheque	tjek	cousin	neef, niggie
chief	hoof	cow	koei
child	kind	cream	room
choir	koor	cross (adj.)	kwaad
cigarette	sigaret	cry (to)	huil
city	stad	cut	sny, knip

D

dam	dam	danger	gevaar
dame	dame	dark	donker
dance	dans	date	datum

daughter	dogter	dirty	vuil
day	dag	do	doen
dead	dood	doctor	dokter
deaf	doof	door	deur
dear	beste, geagte,	down	onder
December	Desember	dozen	dosyn
decide	besluit	drink (to)	drink
deep	diep	drive (to)	ry
depart	vertrek	driver	bestuurder
difference	verskil	dry	droog
difficult	moeilik	dull	dof
dim	dof	during	gedurende
dining-room	eetkamer	dwelling	woonhuis

E

each	elk	enemy	vyand
ear	oor	English	Engels
early	vroeg	enjoy	geniet
East, the	Ooste	enough	genoeg
east	oos	Europe	Europa
easy	maklik	European (adj.)	Europees
eat	eet	evening	aand
egg	eier	every	elke
eight	ag	exactly	presies
eighteen	agtien	example	voorbeeld
eighty	tagtig	excuse	ekskuus
elephant	olifant	exercise	oefening
eleven	elf	expect	verwag
empty	leeg	expensive	duur
end	end	eye	oog

F

face	gesig	finger	vinger
fairly	taamlik	finished	klaar
fall	val	fish	vis
false	vals	five	vyf
family	familie	fixed	vas
far	ver	flag	vlag
farm (n.)	plaas	fleet	vloot
farm (v.)	boer	fly (to)	vlieg
farmer	boer	folk-song	volksliedjie
fast	vinnig	following	volgende
fat	vet	fond of	hou van, lief vir
father	vader	food	kos
fault	fout	foot	voet
February	Februarie	for	vir
feel	voel	forenoon	voormiddag
fellow	kêrel	forget	vergeet
few	paar, min	fork	vurk
field	veld, land	form	vorm
fifteen	vyftien	fort	fort
fifth	vyfde	forty	veertig
fifty	vyftig	fortnight	veertien dae
fight (to)	veg	four	vier
fill	volmaak	fourteen	veertien
find	vind	fourth	vierde
find out	uitvind	fraction	breuk

France	Frankryk	front (in front of)	voor
French	Frans	fruit	vrug, vrugte
fresh	vars	full	vol
Friday	Vrydag	funny	snaaks
friend	vriend		
from	van, uit		

G

game reserve	wildtuin	good	goed, goeie
garden	tuin	gramophone	grammofoon
general (army)	generaal	grandfather	oupa
generally	gewoonlik	grandmother	ouma
get	kry, word	grass	gras
girl	meisie	great	groot
give	gee	green	groen
glad	bly	greet	groet
glass	glas	ground	grond
go	gaan	group	groep
gold	goud	grow	groei

H

had to	moes	hers	hare
hair	hare	high	hoog
half	half, halwe, helfte	hill	heuwel
		him	hom
hall	saal	his	sy, syne
hand	hand	hither	hierheen
handkerchief	sakdoek	hole	gat
hang	hang	holiday	vakansie
happen	gebeur	home	huis toe, by die huis
happy	gelukkig		
harbour	hawe	hope	hoop
hard	hard	horse	perd
haste	haas	hospital	hospitaal
hasty	haastig	hot	warm
hat	hoed	hotel	hotel
have	hê	hour	uur
he	hy	house	huis
healthy	gesond	how	hoe
heap	hoop	how many	hoeveel
hear	hoor	how much	hoeveel
help	help	hundred	honderd
hen	hen	hungry	honger
her	haar	hurry (in a)	haastig
here	hier	hut	hut

I

ice	ys	instead of	in plaas van
ice-cold	yskoud	intelligent	intelligent
idea	plan, idee	interval	pouse
if	as	into	in
ill	siek	invent	uitvind
ill-treat	mishandel	investigate	ondersoek
important	belangrik	invitation	uitnodiging
in	in, binne	invite	uitnooi
Indian	Indiër	is	is
ink	ink	it	dit
inside	binne	Italian	Italianer
instead of	in plaas van	Italy	Italië

J

jacket	baadjie	jump	spring
jealous	jaloers	June	Junie
journey	reis	junior	junior
July	Julie	just	net

K

keep	hou	kloof	kloof
kettle	ketel	knife	mes
kill	slag, doodmaak	knock	klop
kind	soort, vriendelik	know	weet, ken
kindness	vriendelikheid	known	bekend
kitchen	kombuis		

L

lady	dame	lieutenant	luitenant
lamp	lamp	life	lewe
land	land	light	lig
language	taal	like (to)	hou van
lantern	lantern	lion	leeu
large	groot	lip	lip
last	laaste, verlede	list	lys
late	laat	listen	luister
laugh	lag	little	bietjie
law	wet	live	lewe, woon
lay	lê	long	lang, lank
lazy	lui	long for	verlang na
lean (adj.)	maer	look	kyk
learn	leer	look out!	pas op!
leave	vertrek	loose	los
left	links	lose	verloor
leg	been	low	laag
lesson	les	lucky	gelukkig
let	laat	luggage	bagasie
letter	brief, letter	lunch	middagete
library	biblioteek	lung	long
lie (to)	lê		

M

machine	masjien	meet (to)	ontmoet
magistrate	magistraat	mention	noem
main	hoof	middle	middel
maize	mielies	milk	melk
make	maak	mine (pronoun)	myne
mamba	mamba	mine (noun)	myn
man	man	minister (of cabinet)	minister
manner	manier		
many	baie	minus	minus, min
March	Maart	minute	minuut
market	mark	mislead	mislei
master	meester	Miss	mejuffrou
mat	mat	mistake	fout
matter	saak	model	model
may	mag	modern	modern
May	Mei	moment	rukkie
me	my	money	geld
meal	ete	monkey	aap
mean	beteken, bedoel	month	maand
meat	vleis	monument	monument
medium	medium	more	meer

morning	môre		much	baie
most	meeste		museum	museum
mother	moeder		music	musiek
motor car	motor		must	moet
mountain	berg		my	my
mouth	mond			

N

name (v.)	noem		niece	niggie
name (n.)	naam		night	nag, aand
narrow	nou		nine	nege
Natal	Natal		nineteen	neëntien
naturally	natuurlik		ninety	neëntig
naughty	stout		ninth	neënde
near	naby		no	nee, geen
nearly	byna		nobody	niemand
necessary	nodig		normal	normaal
neck	nek		north	noord
nephew	neef		nose	neus
never	nooit		not	nie
nevertheless	nogtans		not yet	nog nie
new	nuut, nuwe		nothing	niks
news	nuus		November	November
newspaper	koerant		now	nou
next	aanstaande, volgende,		nowhere	nêrens
nice	lekker, gaaf		number	nommer

O

O (h)!	O!		opponent	opponent
o'clock	uur		or	of
October	Oktober		order (in)	in orde
of	van		organisation	organisasie
off	af		other(s)	ander
office	kantoor		otherwise	anders
official	offisieel		our	ons
often	dikwels		ours	ons s'n
old	oud, ou		out	uit
on	op, aan		outside	buite
one	een		over	oor
only	net		overcoat	jas
open	oop, open, oopmaak		owner	eienaar

P

packet	pakkie		pay (to)	betaal
page	bladsy		peace	vrede
pain	pyn		pen	pen
pair	paar		pencil	potlood
palm	palm		people	mense
pantry	spens		pepper	peper
paper	papier		per	per
pardon	pardon		permit	permit
Paris	Parys		person	persoon
park	park		petrol	petrol
party	party		photo	foto
past	verby		piano	piano, klavier
path	pad		picture	prent
pause (n.)	pouse		piece	stuk
pavement	sypaadjie		pioneer	pionier, Voortrekker

96

pipe	pyp		*precise(ly)*	presies
place	plek		*present*	present
plan	plan		*president*	president
plank	plank		*pretty*	mooi
plant	plant		*previous*	vorige
play (to)	speel		*price*	prys
pleasant	aangenaam		*Prime Minister*	Eerste Minister
please	asseblief		*principal*	prinsipaal
pleasure	plesier		*prisoner*	prisonier
plenty	baie		*private*	privaat
plus	plus		*prize*	prys
pocket	sak		*produce*	produseer
point	punt		*product*	produk
police	polisie		*programme*	program
poor	arm		*progress*	vordering
port	hawe, portwyn		*proprietor*	eienaar
possible	moontlik		*proud*	trots
post	pos		*put (to)*	sit
pot	pot			

R

racket (racquet)	raket		*revolver*	rewolwer
radio	radio		*rhinoceros*	renoster
railway	spoorweg		*rich*	ryk
rain	reën, reent		*ride*	ry
razor	skeermes		*ridge*	rand
read	lees		*right*	reg
ready	klaar, gereed		*ring* (n.)	ring
rebel	rebel		*ripe*	ryp
receive	ontvang		*rise (to)*	opkom, opstaan
record	plaat		*river*	rivier
(gramophone)			*road*	pad
red	rooi		*roll, rôle*	rol
reply	antwoord		*room*	kamer
Republic	Republiek		*round* (prep.)	om
rest	rus		*round* (adj.)	rond
return	terugkom,		*rubber*	rubber
	teruggee		*run*	hardloop

S

safe (adj.)	veilig		*senior*	senior
salt	sout		*sentence*	sin
same (the)	dieselfde		*September*	September
sand	sand		*seven*	sewe
satisfied	tevrede		*seventeen*	sewentien
Saturday	Saterdag		*seventh*	sewende
say	sê		*seventy*	sewentig
school	skool		*shall*	sal
scissors	skêr		*shark*	haai
score (n.)	telling		*sharp*	skerp
sea	see		*shave*	skeer
search (for)	soek na		*sheep*	skaap
season	seisoen		*shine*	skyn
seat	sitplek		*ship*	skip
second	tweede		*shirt*	hemp
see	sien		*shoe*	skoen
seldom	selde		*shoot*	skiet
self	self		*shop*	winkel
sell	verkoop		*short*	kort
send	stuur		*show (to)*	wys

shut	toemaak	sort	soort
shy	skaam	soup	sop
sick	siek	south	suid
side	sy, kant	speak	praat
sign	teken	spelling	spelling
silent	stil	spend (holiday)	deurbring
silver	silwer	spend (money)	uitgee, spandeer
sing	sing	spoon	lepel
sink (to)	sink	springbok	springbok
sister	suster	stamp	posseël
sit	sit	start	begin
six	ses	station	stasie
sixteen	sestien	station master	stasiemeester
sixty	sestig	statue	standbeeld
size	grootte,	stay	bly
	nommer	still	stil
slaughter	slag	stocking(s), sock	kous(e)
sleep	slaap	stoep	stoep
slow(ly)	stadig	store	winkel
small	klein	storm	storm
smoke	rook	story	storie
snake	slang	strange(r)	vreemd(eling)
so	so	street	straat
soap	seep	strong	sterk
sober	sober, nugter	student	student
sock	sokkie	stupid	dom
sofa	sofa	subtropical	subtropies
soft	sag	success	sukses
soil	grond	such	sulke
solo	solo	such a	so 'n
some	sommige	sugar	suiker
somebody	iemand	summer	somer
something	iets	sun	son
sometimes	soms	sure	seker
son	seun	sweet	soet
song	lied	swim	swem
soon	gou, binnekort	switch on	aanslaan
sore	seer	switch off	afslaan
sorry	spyt		

T

table	tafel	the	die
take	neem	then	dan, toe, daarna
talk	praat	there	daar
tall	groot	thick	dik
tame	mak	thin	dun
tank	tenk	thing	ding
taste	smaak	things	goed
taxi	huurmotor	think	dink
tea	tee	third	derde
teacher	onderwyser	thirsty	dors
telegram	telegram	thirteen	dertien
telephone	telefoon	thirty	dertig
tell	sê, vertel	this	dit, hierdie
ten	tien	thither	daarheen
tennis	tennis	thorn	doring
tent	tent	those	daardie
thank	dank, bedank	though	alhoewel
that	daardie, dat,	thousand	duisend
	wat	three	drie

98

throat	keel	torpedo	torpedo
through	deur	towel	handdock
thumb	duim	town	dorp, stad
thus	dus	train	trein
tie	das (n.)	translate	vertaal
	bind (v.)	travel	reis
till	totdat	tree	boom
time	tyd	trousers	broek
to	na, toe, vir, om	true	waar
tobacco	tabak	try	probeer
today	vandag	tune	wysie
together	saam	twelve	twaalf
tomorrow	môre	twenty	twintig
tongue	tong	two	twee
too	te	tyre	band
torch	flits		

U

ugly	lelik	unless	tensy
uncle	oom	unpleasant	onaangenaam
under	onder	until	totdat
undermine	ondermyn	up	op
understand	verstaan	us	ons
undertake	onderneem	use	gebruik
undress	uittrek	usually	gewoonlik

V

valley	vallei	village	dorp
vegetable(s)	groente	visit	besoek
verse	vers	visitor	besoeker
very	baie	voice	stem
vest	onderhemp		

W

wait	wag	what	wat, watter
waiter	tafelbediende,	wheel	wiel
	kelner	when	wanneer, as
walk (to)	loop	whence (from	waarvandaan
wall	muur	where)	
want to	wil	whenever	wanneer
war	oorlog	where	waar
warm	warm	whether	of
warn (-ing)	waarsku(-wing)	which	watter, wat
was	was	while	terwyl, rukkie
wash	was	white	wit
watch (clock)	horlosie	whither	waarheen
water	water	whom	wat, vir wie,
way	weg, pad		aan wie
we	ons	why	waarom
weak	swak, flou	wide	wyd
weapon	wapen	wife	vrou
wear	dra	wild	wild
weather	weer	will	sal
week	week	win	wen
welcome	welkom	wind	wind
well, good	goed	window	venster
west	wes, weste	wine	wyn
wet	nat	winter	winter

wire	draad		wool	wol
with	met, saam		word	woord
without	sonder		work	werk
wolf	wolf		world	wêreld
woman	vrou		would (be)	sou (wees)
wonder	wonder		write	skryf
wood	hout		wrong	verkeerd

Y

year	jaar		you	jy, jou, julle, u
yellow	geel		young	jong, jonk
yes	ja		your	jou, julle, u
yesterday	gister		yours	joune, julle s'n
(not) yet	nog (nie)			

Z

Zulu (-land)	Zoeloe(-land)

Everyday Expressions.

Please.
Thank you.
Don't forget it.
I beg your pardon.
I don't understand you.
I am sorry.
Please could you tell me?
I am a stranger here.
Will you do me a favour?

Will you give me a lift, please?
It depends on him.
You can depend on it.
Open (shut) the door.
What is the matter?
You are right (wrong).
I am in a hurry.
Don't bother.
Wait a minute.
Look out!
What a pity!
Never mind!
It isn't worth while.
As soon as possible.
At the latest.
Are you very busy?

Alledaagse Uitdrukkings.

Asseblief.
Dankie.
Moet dit nie vergeet nie.
Ekskuus.
Ek begryp jou nie.
Dit spyt my.
Kan u my asseblief sê?
Ek is onbekend hier.
Sal u my 'n guns bewys? (Sal u my 'n plesier doen?)
Mag ek asseblief met u saamry?
Dit hang van hom af.
U kan daarop reken.
Maak die deur oop (toe).
Wat makeer?
U het gelyk (ongelyk).
Ek is haastig.
Moenie moeite doen nie.
Wag 'n bietjie.
Pas op!
Hoe jammer tog!
Toemaar!
Dit is nie die moeite werd nie.
So gou (spoedig) moontlik.
Op sy laatste.
Is jy baie besig?

I shall not keep you long.	*Ek sal u nie lank ophou nie.*
There is someone who wants to speak to you.	*Daar is iemand wat met u wil praat.*
Tell him to wait a minute, please.	*Sê hy moet asseblief 'n bietjie wag.*
Would you like to see the paper?	*Wil u graag 'n bietjie na die koerant kyk?*
Will you tell me?	*Sal u my sê?*
Do you speak Afrikaans?	*Kan u Afrikaans praat?*
A little.	*So 'n bietjie.*
Please speak more slowly.	*Praat asseblief 'n bietjie stadiger.*
I do not find the pronunciation very difficult.	*Die uitspraak is nie vir my baie moeilik nie.*
What did you say?	*Wat het jy gesê?*
This way.	*Hierheen. (Hierdie kant toe.)*
Of course.	*Natuurlik.*
The other day.	*Nou die dag.*
Sooner or later.	*Vroeër of later.*
Without a doubt.	*Sonder twyfel.*
With all my heart.	*Van ganser harte.*
Do your best.	*Doen jou bes.*
Upstairs.	*Bo.*
Downstairs.	*Onder.*
Don't go away.	*Moenie weggaan (loop) nie.*
In the meantime.	*Intussen.*
As for me.	*Wat my betref.*
He may say what he likes.	*Hy kan sê wat hy wil.*
One is as good as the other.	*Die een is so goed as die ander. (Dit is om die ewe.)*
I cannot do without it.	*Ek kan nie daarsonder klaarkom nie.*
Don't blame me!	*Moenie my die skuld gee nie!*
It is not my fault.	*Dit is nie my skuld nie.*
I am used to it.	*Ek is daaraan gewoond.*
I appreciate it.	*Ek waardeer dit. (Ek stel dit op prys.)*
May I see you for a minute, please?	*Kan ek u 'n oomblikkie spreek, asseblief?*
Many thanks.	*Baie dankie.*
Don't mention it.	*Nie te danke nie.*
That does not matter.	*Dit maak nie saak nie.*
I don't mind.	*Ek gee nie om nie.*
It suits me.	*Dit pas my.*
By the way, ...	*Tussen hakies, ... (Van die os op die esel, ...)*

101

He is talking through his hat.	*Hy praat deur sy nek.*
Keep it under your hat.	*Hou dit dig. (Hou dit in die mou.)*
I wish to propose the toast to	*Ek wil graag die heildronk instel op ....*
Here's luck!	*Gesondheid!*
It is a pity.	*Dit is jammer.*

Meeting and Greeting.	***Ontmoet en Groet.***
Good morning.	*Goeiemôre.*
Good afternoon.	*Goeiemiddag.*
Good evening.	*Goeienaand.*
Good night.	*Goeienag.*
How do you do?	*Hoe gaan dit?*
Quite well, thank you.	*Heeltemal goed, dankie.*
Pleased to make your acquaintance.	*Bly om kennis te maak.*
I must apologise.	*Ek moet om verskoning vra.*
How are the children?	*Hoe gaan dit met die kinders?*
They are all very well, thank you.	*Hulle is almal gesond, dankie.*
He has a cold.	*Hy is verkoue.*
Come and lunch with me.	*Kom eet vanmiddag met my saam.*
Yes, I will, but it's on me.	*Ja, maar jy is my gas.*
You are looking fine!	*Jy sien daar goed uit!*
Have you met?	*Ken julle mekaar?*
May I introduce Mr. S. to you.	*Laat my meneer S. aan u voorstel.*
Won't you come in?	*Sal u nie binnekom nie?*
Won't you sit down?	*Sal u nie sit nie?*
I don't think so.	*Ek glo nie.*
Have you been waiting long?	*Het u lank gewag? (Wag u al lank?)*
No, I have just arrived.	*Nee, ek het nou net gekom.*
I am afraid I am late.	*Ek is bevrees ek is laat.*
I did not catch the last bus.	*Ek het nie die laaste bus gehaal nie.*
I hope I have not kept you waiting too long.	*Ek hoop ek het u nie te lank laat wag nie.*
I cannot stay any longer.	*Ek kan nie langer bly nie.*
I must go now.	*Ek moet nou loop.*
You have put on weight.	*Jy het vet geword. (Jy het opgetel.)*
You have lost weight.	*Jy het maer geword. (Jy het afgeval.)*

The Weather.

Fine to-day, isn't it?

Nice morning, isn't it?
It is delightful weather.
It looks as though we are going to have a little rain.
It is very close (sultry).
I wonder what the weather is going to be like.
There is a storm brewing.

Thunder and lightning.
Bad weather.
Changeable weather.
It is raining cats and dogs.

The Telephone.

Are you on the telephone?
Telephone me when you get home.
The number is engaged.
Where is the nearest call box?

Sleeping and Waking.

I feel sleepy.
I did not sleep a wink last night.

I overslept myself.
I sleep like a top (log).
He went off to sleep.
Don't yawn like that.
It is time to go to bed.
I have to get up early in the morning.
This morning I woke up too late.

Set the alarm.
Don't forget to wake me.

Sleep well.

Die Weer.

Dis 'n mooi dag vandag, nie waar nie?

'n Lekker môre, nie waar nie?
Dit is heerlike weer.
Dit lyk of ons 'n bietjie reën gaan kry.
Dit is baie bedompig (benoud).
Ek wonder wat die weer se plan is.

Daar is 'n storm aan die opkom. (Die weer steek op.)
Donderweer en weerlig.
Slegte weer (onweer).
Veranderlike weer.
Dit reent oumeide met knopkieries.

Die Telefoon.

Het u 'n telefoon?
Bel my wanneer u by die huis kom.
Die nommer is beset.
Waar is die naaste telefoonbussie?

Slaap en Wakker word.

Ek voel vaak.
Verlede nag het ek nie 'n oog toegemaak nie.
Ek het my verslaap.
Ek slaap soos 'n klip.
Hy het aan die slaap geràak.
Moenie so gaap nie.
Dit is tyd om te gaan slaap.
Môre-oggend moet ek vroeg opstaan.
Vanmôre het ek te laat wakker geskrik.
Stel die wekker.
Moenie vergeet om my wakker te maak nie.
Slaap lekker! (Slaap gerus! Wel te ruste!)

When do you have breakfast?	Hoe laat eet u (in die môre) smôrens?
When do you have lunch?	Hoe laat eet u (in die middag) smiddags?
When do you have dinner?	Hoe laat eet u (in die aand) saans?
Breakfast. Lunch. Dinner.	Die môre-ete (ontbyt). Die middag-ete. Die aandete.

Congratulations.

(a) On Birthday.
Many happy returns of the day.
(b) On Examination Result.
Accept my heartiest congratulations on your excellent performance.
(c) Election Result.
Hearty congratulations on your brilliant victory.
(d) Christmas and New Year.
A merry Christmas and a prosperous New Year.

Gelukwensinge

(a) Verjaarsdag.
Veels geluk met jou verjaarsdag.
(b) Met Eksamenuitslag.
Ontvang my hartlike gelukwensing met jou skitterende sukses.

(c) Verkiesingsuitslag.
Van harte geluk met u skitterende oorwinning.
(d) Kersfees en Nuwe Jaar.
'n Gelukkige Kersfees en 'n voorspoedige Nuwe Jaar.

Condolence

My most heartfelt sympathy in your sad bereavement.

Roubeklag.

My innige simpatie in u sware verlies.

TOETS 1a (Lesse 1–12)

1. Skryf in Afrikaans:

    (a) Have you enough change?
    (b) It costs thirty cents.
    (c) He was buying a pair of shoes.
    (d) Don't walk so fast.
    (e) I am sorry.
    (f) He goes to town.
    (g) He is not going to town.
    (h) Are you a stranger here?
    (i) Will he be at the station in time?
    (j) The hairdresser cuts my hair.
    (k) You are very kind.
    (l) Where is my razor?
    (m) The cold air is healthy.
    (n) Goodbye, give her my regards.
    (o) Let us walk on the pavement.
    (p) I shall show you a good place.
    (q) He has booked at the hotel.
    (r) He is going to bed early tonight.
    (s) She doesn't like the farm.
    (t) He is reading the newspaper.
    (u) It doesn't matter.
    (v) What is the time?
    (w) I am glad you are here.
    (x) He doesn't know anyone in the town.
    (y) He spoke to the man at the station. (25)

2. Vul die voorsetsels (prepositions) in:

    (a) Luister .... wat ek sê.
    (b) Ek hou .... hierdie hotel.
    (c) Ek sal altyd .... jou dink.
    (d) Vanaand sal hy .... jou wag.
    (e) Hy het .... die hoek geloop.
    (f) Stuur hierdie boek .... jou suster.
    (g) Hy kyk .... die mooi meisies.
    (h) Gee .... hom ook 'n koppie tee.
    (i) Sy soek .... haar horlosie.
    (j) Ons gaan na my oom se plaas ....
    (k) Sê groete .... my vriend.

(l) Hy kyk .... sy horlosie.
(m) Sy woon .... die stad.
(n) Hy woon .... die plaas.
(o) My vader wil .... jou praat.   (15)

3. Gee die meervoud (plural) van:

hemp	kamer
besoeker	horlosie
sitplek	week
mens	vriend
boer	broer
bus	stad
brief	kind
perd	(15)

4. Begin die volgende sinne met die kursiefgedrukte (italicised) woorde:

(a) Hy het *gister* sy vriend gesien.
(b) Net betyds het *ons* daar gekom.
(c) Die student sit *in die klaskamer*.
(d) Hy leer *gewoonlik* sy les.
(e) Vanaand is dit *baie koud*.   (5)

5. Vertaal: (Let op die spelling—Be careful of the spelling).
   address, assistant, admiral, applicant, café.   (5)

6. Gee die teenoorgestelde (opposite) van:

breed	vinnig
naby	êrens
waarheen	winter
laat	altyd
iets	min (10)

TOETS 2a (Lesse 13–19)

1. Skryf in woorde:

$6 + 3 = 9$	$6 - 3 = 3$
$6 \div 3 = 2$	$6 \times 3 = 18$
15/2/1923	R44,33
201	444
37⅔	221 (10)

106

2. Skryf in die negatief:

   (a) Jy moet dadelik huis toe gaan.
   (b) Sal jy ooit daardie boek lees?
   (c) Iemand het my gister in die stad gesien.
   (d) Jy sal dit êrens vind.
   (e) Hy weet sy is al hier.   (5)

3. Skryf voluit:

6.30 nm.	5.20 vm.
7.5 nm.	2.45 vm.
3.15 nm.	(5)

4. Gee die teenoorgestelde van:

droog	vars
swart	dood
kort	diep
wen	interessant
dapper	skoon
sag	oud
soet (koffie)	soet (kind)
duur	(15)

5. Skryf in die verlede tyd:

   (a) Jy sal later weet.
   (b) Hy kan sy werk nie doen nie.
   (c) Het jy vir my 'n pen?
   (d) Wil jy met ons saamgaan?
   (e) Hy herken nie sy vriend nie.
   (f) Sy slaan die lig aan.
   (g) Die man trek sy baadjie aan.
   (h) Jy moet na my huis toe kom.
   (i) Ons begin vroeg in die môre.
   (j) Hy maak sy sigaret dood.   (10)

6. Gee die meervoud van:

kombers	hemp	rebel	oom
boer	glas	vlag	gesig
pad	kantoor	student	winkel
provinsie	broer	vraag	Engelsman
vader	trein	koei	arm (20)

7. Skryf in Afrikaans:

last year	next week
the last year	this year
a year ago	presently
June	in a week's time
Saturday	October (10)

8. Vul die regte voorsetsel in:

(a) Moenie .... die deur klop nie.
(b) Hy kom .... tien minute voor tien.
(c) Wil jy .... die musiek luister?
(d) Ek erken die ontvangs .... die brief.
(e) Hulle reis .... skip.
(f) Vanaand dink ek weer .... my ou vriend.
(g) Ek hou nie .... bitter koffie nie.
(h) Hy het .... tjek betaal.
(i) Die polisie het .... die dief gepraat.
(j) Hy staan .... die poskantoor.   (10)

9. Gebruik die volgende woorde voor naamwoorde:

(bv. die *goeie* man).

snaaks	breed
donker	vroeg
aangenaam	(5)

10. Vertaal:

(a) It is exactly two o'clock.
(b) She gives him her book.
(c) Put on your coat.
(d) Put on your tie.
(e) Put on your hat.
(f) Take off your collar.
(g) Take off your shirt.
(h) Take off your hat.
(i) What is the matter with you?
(j) Turn off the wireless.   (10)

TOETS 3a (Lesse 20–24)

1. Voltooi die volgende sinne:

(a) Jy moet wag totdat ....
(b) Hy is slim, daarom ....

108

(c) Hy vertel my dat ....
(d) Jy sal ongelukkig wees, tensy ....
(e) Ek sal skryf, dog ....
(f) Hy sal bly, want ....
(g) Hy sal bly, omdat ....
(h) Hy vra of ....
(i) Hy het eers gerus en toe ....
(j) Hy rus eers en dan ....   (10)

2. Skryf 'n brief (nie meer as 10 reëls nie) aan 'n vriend of vriendin en vertel hom of haar dat jy met vakansie weggaan.   (10)

3. Vul die voorsetsels in:

(a) Wat dink jy .... die man?
(b) Hulle praat .... hulle planne vir die vakansie.
(c) Hy skaam hom .... sy vuil skoene.
(d) Hy dink .... sy broer in Europa.
(e) Praat .... daardie kind wat daar staan.
(f) Is jy bang .... die perd?
(g) Ons kla .... die min geld.
(h) Ek voel trots .... my werk.
(i) Die kind verlang .... haar moeder.
(j) Wens hom geluk .... sy vordering.   (10)

4. Skryf in die verlede en toekomende tye:

(a) Jy moet dadelik ophou.
(b) Hy maak die deur agter hom toe.
(c) Hy haal 'n sent uit sy sak uit.
(d) Hulle bring die vakansie hier deur.
(e) Hy gaan by die deur in.   (10)

5. Skryf in die teenwoordige tyd:

(a) Die son het in die weste ondergegaan.
(b) Hulle het by die plaas aangekom.
(c) Hulle wou almal saampraat.
(d) Hulle moes baie geld uitgee.
(e) Hy sal Dinsdag weggaan.   (5)

6. Vertaal:

(a) It is important to know the right meaning.
(b) I have to clean my shoes myself.
(c) Excuse me, I must go and telephone my friend.

(d) I shall remember not to make this mistake again.

(e) The richest gold mines in the country are on the Witwaters-rand.　　(5)

TOETS 1b (Lesse 1–12)

1. Skryf in die negatief:

(a) Jy sal dit êrens kry.

(b) Sal iemand my help?

(c) Het jy baie petrol?

(d) Wag vir my by die stasie.

(e) Ek kan iets doen.　　(5)

2. Gee die trappe van vergelyking (degrees of comparison) van:

(bv. mooi—mooier—mooiste).

hard, skaars, gesond, goed, lui.　　(5)

3. Gee die teenoorgestelde van:

oud	aangenaam
warm	vinnig
breed	koop
hierdie	ver
groot	daarheen　　(10)

4. Vul die voorsetsel in:

(a) Die kind speel .... die kat.

(b) Daar loop Jan .... die hoek.

(c) Gee hierdie pen .... Piet.

(d) Ek hou .... mooi skoene.

(e) Wys .... my die mooi winkel.

(f) Wil jy .... die musiek luister?

(g) Wag .... my by die stadsaal.

(h) Ek soek .... die pen en ink.

(i) Sy wil die koek .... haar niggie stuur.

(j) Hy kyk .... die mooi klavier.

(k) Die mense is baie goed .... my.

(l) Dit gaan goed .... my.

(m) Hy kyk .... sy horlosie.

(n) Bettie stuur groete .... jou.

(o) Hy kom .... die plaas af.　　(15)

5. Skryf in die verlede en toekomende tye:

   (a) Die senator sit op die sand.
   (b) Hy plant 'n palm in die park.
   (c) Hy skryf met 'n pen.
   (d) Wat is die naam van die boek?
   (e) Die mense eet baie vroeg.   (10)

6. Skryf die Afrikaanse vir die Engelse woorde:

   (a) **We** wil met jou praat.
   (b) Jan, **you** moet na my luister.
   (c) **She** wil aan **her** moeder skryf.
   (d) **He** moet **his** les goed leer.
   (e) Piet en Willem, **you** moet vinnig loop.
   (f) Dit is **our** vader se skape.
   (g) Bettie, ek sal die koerant aan **you** stuur.
   (h) **They** ken nie hulle werk nie.   (10)

7. Gee die meervoud van die naamwoorde in die volgende sinne:

   (a) Die boer werk baie hard.
   (b) Die skaap is vet.
   (c) Wat is die grootste stad?
   (d) Wie melk die koei?
   (e) Pos vir my hierdie brief.   (5)

8. Vertaal:

   (a) He speaks Afrikaans already.
   (b) He came too late.
   (c) They are learning the lesson.
   (d) He will bring the book tomorrow.
   (e) She says she likes him.
   (f) She was dancing in the town.
   (g) He went to town.
   (h) He is going to the town.
   (i) He walks too fast.
   (j) I am sorry.
   (k) It doesn't matter.
   (l) You must not say that.
   (m) He went to the farm yesterday.
   (n) The light in the room is burning.
   (o) Good night, and sleep well.
   (p) Why do you want to visit her?
   (q) I like to read a good book.

111

(r) What is the time?

(s) Do you know her?

(t) Do you know who she is?   (40)

TOETS 2b (Lesse 13–19)

1. Gee die teenoorgestelde van die vetgedrukte woorde:

(a) Die straat is **kort**.

(b) Die boek is **dik**.

(c) Hier is die see **diep**.

(d) Die kat is **lewendig**.

(e) Die kêrel is baie **bang**.

(f) Die sypaadjie is **wyd**.

(g) Daardie kind is nie **swak** nie.

(h) Al die planke is **los**.

(i) Hy is nie baie **lelik** nie.   (10)

2. Gee die attributiewe vorm van:

(bv. die **goeie** man).

maklik	sag
gelukkig	dom
hard	jonk
goud	oud
breed	moeilik (10)

3. Skryf in die verlede en die toekomende tye:

(a) Hy kan sy werk doen.

(b) Hy moet sy les leer.

(c) Hy wil gaan slaap.

(d) Hy het 'n mooi boek.

(e) Hy ontvang 'n tjek.   (10)

4. Gee die meervoud van:

hemp	neef
arm	glas
kloof	sigaret
vraag	vlag
skip	taal (10)

5. Skryf voluit:

4de	21ste
¾	40
5 000	102
122	1½
$5 + 4 = 9$	$5 - 4 = 1$
$5 \times 4 = 20$	$20 \div 4 = 5$
R25,42	R300
12/7/1941	10.30 nm.
12 uur	5.15 vm.
6.20 vm.	9de (20)

6. Gee die Afrikaans vir die vetgedrukte woorde:

   (a) Ek het hom **a fortnight ago** gesien.
   (b) Hy sal **in two days' time** hier wees.
   (c) **This year** was dit baie warm.
   (d) Hy was **a little while ago** hier.
   (e) Dit sal **the last year** wees.
   (f) Jy het **last year** so gesê.
   (g) **What size shoe** dra jy?
   (h) **What is the score?**
   (i) Het jy **change** vir 'n rand?
   (j) Ek wil die **size** van die kamer weet.   (10)

7. Vertaal:

   (a) Put on the light.
   (b) Put out your cigarette.
   (c) Strike a match.
   (d) Telephone the police.
   (e) Put on your coat.
   (f) Take off your hat.
   (g) Open the door.
   (h) Knock at the door.
   (i) It happened in town.
   (j) He acknowledged the receipt of my letter.   (10)

8. Beantwoord in goeie sinne:

   (a) Hoeveel weke is daar in die jaar?
   (b) Hoe laat is dit nou?
   (c) Hoeveel mense is in die kamer?
   (d) Waar is die grootste horlosie in die stad?
   (e) Is die stasie ver van die poskantoor?

(f) Wat is die naam van die derde maand?
(g) Hoeveel maande is daar in 'n kwartaal?
(h) Hoeveel kos 'n buskaartjie na die stad toe?
(i) Luister jy dikwels na die draadloos?
(j) Hoeveel sente is daar in 'n rand?   (10)

9. Gebruik die regte Afrikaanse voornaamwoorde:

(a) Ek het **somebody** in die kamer gesien.
(b) Nee, daar was **nobody** nie.
(c) Hy kon dit **nowhere** vind nie.
(d) Ek het dit **somewhere** gesien.
(e) Hy het vir **them** al **their** boeke gegee.
(f) Ken jy **these** mense?
(g) Ja, maar **those** kêrels ken ek nie.
(h) **Which** woord kan jy nie spel nie?
(i) **Who** het aan die deur geklop?   (10)

TOETS 3b (Lesse 20–24)

1. Skryf die volgende sinne in goeie Afrikaans:

(a) Hy opsit sy hoed.
(b) Die kar stilhou voor die deur.
(c) Die kat het die slang doodmaak.
(d) Wanneer saamgaan jy met ons?
(e) Stilbly terwyl jy werk.   (5)

2. Vul die regte voorsetsel in:

(a) Hulle is baie kwaad .... ons.
(b) Wens hom geluk .... sy verjaarsdag.
(c) Hulle is baie jaloers .... mekaar.
(d) Sy was nooit lief .... hom nie.
(e) Moenie .... my skaam wees nie.
(f) Daar hang baie appels .... die boom.   (5)

3. Gee die teenoorgestelde van die vetgedrukte woorde:

(a) Die tee is **soet**.
(b) Die kind is **soet**.
(c) Die tee is **sterk**.
(d) Die man is **sterk**.
(e) Die koppie is **vol**.   (5)

114

4. Skryf in die verlede tyd:

   (a) Waarom moet ek so dikwels met jou praat?
   (b) Ek moet baie hard werk, want my pa kan my nie die nodige geld gee nie.
   (c) Hy is in die hospitaal, want hy het baie pyn in sy been.
   (d) Wie wil my help om die werk te doen?
   (e) Dit gebeur dikwels dat ek alleen moet gaan.   (5)

5. Verbind die volgende sinne deur middel van die voegwoorde tussen hakies:

   (a) Hy moet hard werk. Hy wil die prys wen.   (as)
   (b) Kan jy alleen kom? Sal ek jou kom haal?   (of)
   (c) Waar is die brief? Ek het dit vir jou gegee.   (wat)
   (d) Is dit die man? Hy was gister by ons.   (wat)
   (e) Ons het nie gelag nie. Die vreemdeling het by die deur ingekom. (toe) (5)

6. Skryf 'n brief (van 10 tot 15 reëls) aan 'n vriend of vriendin en vertel hom of haar waarom jy Afrikaans leer, wat vir jou die moeilikste is om te onthou, en hoeveel vordering jy gemaak het.   (25)